薪酬绩效

考核与激励设计实战手册

任康磊◎著

人民邮电出版社
北京

图书在版编目（CIP）数据

薪酬绩效 ：考核与激励设计实战手册 / 任康磊著
. -- 北京 ：人民邮电出版社，2024.5
ISBN 978-7-115-63600-3

Ⅰ. ①薪… Ⅱ. ①任… Ⅲ. ①企业管理－工资管理
Ⅳ. ①F272.923

中国国家版本馆CIP数据核字(2024)第033541号

内 容 提 要

本书主要介绍绩效和薪酬激励体系在实战中的应用方法，通过呈现不同绩效和薪酬激励体系的工具与方法，将绩效和薪酬激励体系的应用可视化、流程化、步骤化、模板化，并通过实操案例详解，呈现操作过程，让读者能够轻松上手，快速掌握绩效和薪酬激励体系的应用方法。

本书分成7章，分别介绍了7家公司在绩效和薪酬激励方面存在的问题、问题的分析和解决方案，分别包括年终奖金激励设计案例、销售提成激励设计案例、核心人才薪酬绩效激励设计案例、薪酬方案整体规划设计案例、绩效管理工具选择和应用案例、绩效管理体系和程序设计案例、有激励效果的福利体系设计案例。

本书案例丰富，模板齐全，实操性强，通俗易懂，适合人力资源管理各级从业人员、公司各级管理者、各高校人力资源管理专业的学生、准备考取人力资源管理师及其他人力资源管理专业相关证书的学员、需要人力资源管理实战工具书的人员，以及其他对人力资源管理工作感兴趣的人员阅读参考。

◆ 著　　　　任康磊
责任编辑　恭竟平
责任印制　周昇亮

◆ 人民邮电出版社出版发行　　北京市丰台区成寿寺路 11 号
邮编　100164　　电子邮件　315@ptpress.com.cn
网址　https://www.ptpress.com.cn
北京虎彩文化传播有限公司印刷

◆ 开本：700×1000　1/16
印张：11.25　　　　2024 年 5 月第 1 版
字数：240 千字　　　2024 年 8 月北京第 3 次印刷

定价：69.80 元

读者服务热线：(010)81055296　印装质量热线：(010)81055316
反盗版热线：(010)81055315
广告经营许可证：京东市监广登字 20170147 号

前言

笔者曾经遇到过一家公司。公司的总经理年初在大会上向全体员工宣布要调薪，人力资源部积极响应，开始做薪酬调整方案，过程中充满坎坷，似乎怎么算都有问题。结果兜兜转转，事情拖到了年底。

总经理觉得再这样拖下去，恐怕要拖到明年，于是把最终的薪酬调整方案变成了每人每月普涨工资 500 元。因为有差异的薪酬调整方案怎么调看起来都不对，这样至少会让员工们觉得公平。可没想到这个方案出来后，员工的反响却很差。

有的员工抱怨薪酬调整方案出台慢，总经理明明年初就做出了承诺，结果却拖到年底才执行。本来以为是多么复杂的方案，没想到却只是每人每月普涨工资 500 元这么简单的设定。这不摆明了是公司不想给员工涨薪吗？

有的员工抱怨工资普涨 500 元不公平，团队中的员工明明有优劣之分，为什么优秀的员工和不优秀的员工涨薪水平是一样的呢？优秀的员工没有得到相应的激励，不优秀的员工也不会因为这种普涨式的薪酬方案变得优秀。

还有的员工抱怨工资普涨 500 元不合理。薪酬水平比较低的员工涨薪 500 元，薪酬增长的比例较大，相对比较开心；薪酬水平比较高的员工涨薪 500 元，薪酬增长的比例较小，比较不开心，这类员工更期望按照比例调整薪酬。

总经理很郁闷，明明给员工涨薪了，却没能换来好的效果。

这家公司的状况实际上是因为绩效和薪酬管理体系存在问题。中国有句古话叫“财聚人散，财散人聚”。这话可以简单理解成组织如果不愿意发钱，就不容易聚拢人才；组织如果愿意发钱，就比较容易聚拢人才。但说起来简单，落实起来却比较困难。

如果组织不分青红皂白地给员工发钱，员工的收入变高了，离职情况变少了，慕名而来的人才也多了，可同时人力费用也会水涨船高，组织的经营压力会逐渐变大。

如果组织吝啬守财，不舍得给员工发钱，员工的收入低于同业或同岗位，离职变多了，慕名而来的人才变少了，但组织可以换来人力费用降低、经营压力变小。

发钱太多或太少显然都是极端的，都是不可取的，如何在它们之间寻找平衡点呢？

这时候人们发现，更多的金钱激励应该向那些态度端正的、能力强的、为组织创造更多价值的人才倾斜。绩效和薪酬管理体系的作用正是识别、定义和评价这类人才，并给这类人才提供应得的、有激励效果的物质报酬。所以有人说：“好的绩效和薪酬管理体系，就是科学地管理、艺术地发钱。”

如何构建好绩效和薪酬管理体系呢？

市面上讲绩效和薪酬理论的书有不少，其中不乏包含大量工具或方法论的讲解书。但很多书讲解的内容大多停留在工具或方法论的应用原理上，而没有案例；就算有案例，更多也只是介绍工具或方法论应用后的样子，鲜有以真实案例为背景，分析选择某个工具或方法论解决问题的原因、应用的场景，以及解决问题的过程。

这就让很多读者虽然知道理论，了解一些工具和方法论，但不知道该在什么情况下用、该怎么用，也不知道应用时都可能出现哪些实际问题。

实际上，笔者也已经出版了包含比较完整、系统的绩效和薪酬工具及方法论的书，分别是《绩效管理与量化考核从入门到精通》《薪酬管理实操从入门到精通》《绩效管理工具：OKR、KPI、KSF、MBO、BSC 应用方法与实战案例》。这些书中已经包含了从 0 到 1 构建绩效和薪酬管理体系的工具和方法论，也包含这些工具和方法论的应用案例。但很多读者表示在管理实践中不知道如何应用这些工具和方法论，应用后出现问题不知道如何应对。

有不少读者不仅期望看到更多绩效和薪酬工具及方法论在公司管理实践中的应用案例，而且希望看到公司在应用这些工具和方法论时出现问题后的思考过程和解决方案，这样有助于自己遇到类似问题时能够快速、有效地解决。

这让笔者萌生了将日常管理咨询中遇到的一些典型公司和帮助这些公司解决绩效和薪酬相关问题的思考过程写成书的想法。带着实际问题分析和思考往往更有助于学习和成长。读者可以在解决实际问题的过程中获得更大的认知成长和进行更深刻的思考。

本书中的所有案例均来自管理咨询实战，内容重心是基于真实场景制定解决方案的过程。因为笔者团队承接的所有咨询项目都签有保密协议，本着对客户负责的态度和不损害商业信誉的原则，本书所有案例均隐去了公司名称、商业秘密和实际数据。

但本书保留了分析问题、解决问题的思考过程和解决方案的框架，将问题总结成容易理解的模型，并提供解决问题相应的方法论和工具，使读者收获满满，是帮助读者学习绩效和薪酬激励实战的佳作。

希望读者朋友们能够学以致用，更好地学习和工作。

本书若有不足之处，欢迎读者朋友们批评指正。

本书特色

1. 通俗易懂、案例丰富

本书包含丰富的实战案例，让读者们能够快速掌握绩效和薪酬激励在实战中的应用，让读者看得懂、学得会、用得上。

2. 上手迅速、模板齐全

本书把大量复杂的理念转变成能在工作中直接应用的、简单的工具和方法，并把这些工具和方法可视化、流程化、步骤化、模板化，让初学者也能够快速上手开展工作。

3. 知识点足、实操性强

本书涉及大量的知识点。知识点的选择立足于解决工作中的实际问题，使读者通过本书，能够学会绩效和薪酬激励的操作方法。

本书读者对象

人力资源管理各模块的专员、主管、经理、总监、副总经理；

企业各级管理者；

准备考取人力资源管理师及其他人力资源管理专业相关证书的学员；

各高校人力资源管埋专业的学生；

需要人力资源管理实战工具书的人员；

其他对人力资源管理工作感兴趣的人员。

目录

第1章 年终奖金激励设计案例

2 第 2 章 销售提成激励设计案例

3 第 3 章 核心人才薪酬绩效激励设计案例

5 第5章 绩效管理工具选择和应用案例

6 第 6 章 绩效管理体系和程序设计案例

7 第 7 章 有激励效果的福利体系设计案例

第1章
年终奖金激励设计案例

发奖金通常会被认为是好事，毕竟很少有人会讨厌别人给自己发奖金。然而有一些公司，不发奖金的时候大伙不开心，发了奖金之后大伙更不开心，奖金发了还不如不发，发奖金这件事反而出现了负面效果。如何正确发放年终奖金呢？

1.1 问题梳理：年终奖金没有激励性

A 公司是一家制造业上市公司，经营管理一直以保守著称。在笔者团队到场的 2 年前，A 公司员工每年一般是根据岗位级别发放年终固定的 N 薪（N 个月工资）。

这种奖金发放模式没有考虑每个员工的工作成果，没有体现出员工绩效水平和工作价值的差异，被很多员工所诟病，已经不适合 A 公司发展的需要。

在这种员工“干好干坏一个样”的奖金模式下，很多原本工作努力的员工也都不愿继续努力了，于是 A 公司准备寻求改变。

1.1.1 问题背景：被员工诟病的奖金模式

A 公司向笔者团队提出咨询项目需求时，提到了人才激励、奖金分配、价值评估、公平这些关键词，诉求是通过设计年终奖金分配规则，让员工获得应得的奖金回报，从而激发员工的积极性。

管理层普遍认为，公司员工当前的动力不足，缺乏工作热情。多数员工上班只是机械地完成上级分配的工作任务，不愿承担更多责任，不愿拓展和创新，而出现这种情况的原因是奖金分配机制出了问题。

笔者团队到场时，公司已经采取新的年终奖金发放模式发过一次奖金，大致做法如下。

先由董事会讨论决定每年发奖金的数额，再由董事会根据总经理的提案决定如何将奖金池的奖金分配给不同的业务单元或职能部门，最后由各业务单元或职能部门的各级管理者将年终奖金层层下发。

这种奖金发放模式表面看起来没有问题，但在实际应用时，却出现了 3 个问题。

（1）董事会讨论决定每年发奖金数额的依据是什么？

（2）总经理的提案中将奖金池的奖金分配给不同的业务单元或职能部门的依据是什么？

（3）各业务单元或职能部门各级管理者给员工发放奖金的依据是什么？

前 2 个问题涉及高层管理者（后也称“高管”），人员范围较小，虽然有问题，但不容易被员工们所感知。对大多数管理者和员工来说，第 3 个问题产生的负面影响较大。

很多部门发完奖金后，员工们感到不公平。似乎不发奖金的时候，大家相安无事，发了奖金，各级管理者和员工反倒变得不开心了。

为什么呢？其中的原因当然不太可能是公司的管理者和员工不喜欢发奖金，而是发奖金的方式不对。

各级管理者并不知道按照什么依据给员工发奖金。员工拿到奖金后，发现和周围员工的奖金数额不一样，就会产生强烈的不公平感。

员工为什么会知道别的员工的奖金数额呢？

一方面是因为这家公司没有严格实施“密薪制”，公司不论制度还是文化都没有强制要求员工对薪酬保密；另一方面是因为公司为了强调员工价值的不同，刻意将奖金分配的方式公开。

事实上，就算是实施“密薪制”的公司，员工的薪酬或奖金也不是“密不透风”的。而且因为“密薪制”有不得讨论薪酬或奖金的规定，当员工对薪酬或奖金有意见时，尤其是感到薪酬发放或奖金分配不公平时，也不敢就此原因直接说明意见。这种情况反而不利于公司发现薪酬发放或奖金分配存在的问题。

针对当前状况，首先要研讨和解决的，是各级管理者该怎么给员工分奖金的问题。

1.1.2　问题模型：怎么分都分不对的奖金

A 公司管理者给员工分年终奖金的逻辑可以简化成一个简单的模型。假设这家公司某团队中只有张三和李四 2 名员工，团队管理者是王五。

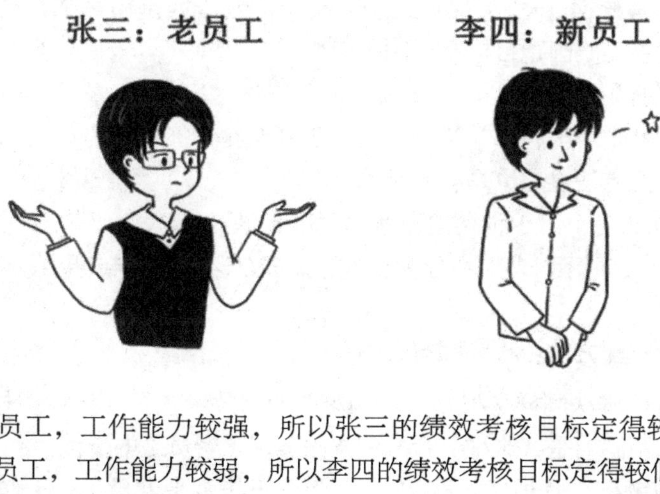

张三是老员工，工作能力较强，所以张三的绩效考核目标定得较高，比较难达成；李四是新员工，工作能力较弱，所以李四的绩效考核目标定得较低，比较容易达成。二者绩效考核满分都是 100 分。

年底了，张三的绩效考核结果是 70 分，李四的绩效考核结果是 90 分。公司给这个团队发了一笔 10 000 元的奖金，由王五分配给张三和李四，王五应如何分配呢？

这时候，通常会出现 4 种分法。

第 1 种奖金分配方法：完全按照绩效考核结果分配。

这种奖金分配方法是根据张三绩效考核得分的 70 分和李四绩效考核得分的 90 分进行折算，算出张三和李四应得的奖金额，具体算法如下。

70（张三绩效考核得分）+90（李四绩效考核得分）=160。

70÷160×100%=44%（四舍五入，保留整数）。

90÷160×100%=56%（四舍五入，保留整数）。

张三应得的奖金额 =10 000 元 ×44%=4 400 元。

李四应得的奖金额 =10 000 元 ×56%=5 600 元。

这种奖金分配方法显然是有问题的。

张三是老员工，工作能力强，只是因为目标定得较高，较难完成，造成绩效考核分数低；李四是新员工，工作能力弱，只是因为目标定得较低，较容易完成，造成绩效考核分数高。

如果只看工作结果，不考虑工作能力，对张三显然非常不公平。如果按照这种方式分配奖金，必然会大大降低张三工作的积极性。

第 2 种奖金分配方法：“大锅饭”式的分配。

这种奖金分配方法的第 1 步依然是根据张三和李四的绩效考核得分折算。与第 1 种奖金分配方法不同的是，这种奖金分配方法考虑到了张三和李四能力上的差异。

张三的绩效考核得分虽然只有 70 分，但考虑到张三是老员工，工作能力强，绩效考核得分低的主要原因是目标定得比较高。

李四的绩效考核得分虽然达到 90 分，但考虑到李四是新员工，工作能力弱，绩效考核得分高的主要原因是目标定得比较低。

可该如何平衡呢？

综合考虑各种矛盾与利弊，给张三和李四每人发 5 000 元奖金。

这种奖金分配方法显然也是有问题的。

一是虽然考虑到了第 1 种奖金分配方法不合理，但人为平均分配奖金并没有足够依据；二是“大锅饭”式奖金分配模式下，员工不论工作成果好坏，得到的回报都一样。

第 3 种奖金分配方法：人为强行调整分配。

这种奖金分配方法同样是根据张三和李四的绩效考核得分折算。与第 1 种和第 2 种奖金分配方法不同的是，这种奖金分配方法强调了老员工的价值。

张三的绩效考核得分虽然只有 70 分，但张三毕竟是老员工，工作能力强，理应拿到更高的奖金；李四的绩效考核得分虽然达到 90 分，但李四毕竟是新员工，工作能力弱，理应拿到更少的奖金。

于是在用张三和李四的绩效考核得分折算出奖金额后，人为强行调整奖金分配，将张三的奖金调整为 6 000 元，将李四的奖金调整为 4 000 元。

这种奖金分配方法依然有问题。

其中的人为调整依然缺乏依据。

张三的奖金为什么应该是 6 000 元，而不是 7 000 元或 8 000 元呢？

李四的奖金为什么应该是 4 000 元，而不是 3 000 元或 2 000 元呢？

由于缺乏调整的依据，张三和李四也不知道自己为什么该得到相应的奖金。

第 4 种奖金分配方法：引入 360 度评估打分。

虽然前 3 种奖金分配方法都不合理，但看起来其合理程度是依次递增的。既然第 3 种奖金分配方法的人为调整没有依据，直接由管理者王五做决定又会变成“拍脑袋决策”，那就引入 360 度评估，让各部门员工之间相互打分，然后用 360 度评估的打分结果和员工的绩效考核得分取平均数来计算张三和李四的奖金额。

这种奖金分配方法有没有问题呢？依然有问题，而且问题很大。

360 度评估的打分结果是主观的。用周围人对某人的主观判断来决定对其发放奖金的数额，这显然是不合理的。360 度评估适合做人才评价的工具，但并不适合做奖金分配的工具。

另外在实际操作中，大多数人的 360 度评估打分结果并没有明显差异。部分人缘比较好的人的 360 度评估打分结果会比较好，部分人缘比较差的人的 360 度评估打分结果会比较差。

A 公司没有设计好管理者该如何给员工分配奖金，造成奖金分配方式五花八门。

1.1.3 问题根源：分奖金的框架出了问题

为什么张三和李四的奖金分配看起来怎么做都不对呢？

因为奖金分配的框架不对。

实际上，把绩效考核成绩或 360 度评估打分与奖金分配相关联的做法本身就是错误的，不论怎么分，结果都不能被接受。

为什么呢？

前文已经提过把 360 度评估打分与奖金分配相关联的问题，本小节重点说一下把绩效考核成绩与奖金分配相关联的问题。

A 公司的绩效考核是怎么做的呢？

年初，由管理者和员工一起制定目标，目标由员工提出，由管理者与员工沟通、修正、确认。年底，公司根据员工目标的达成情况，得到绩效考核打分结果。

如果把绩效考核成绩与奖金分配挂钩，员工会期望制定的目标越低越好。这种情况下员工会怎么做呢？员工可能会想办法给自己制定低目标，并说服上级制定高目标是不现实的。

用量化形式表达。也就是说，对很多员工来说，假如凭自身能力可以达到 100 分，经过努力后可以达到 120 分，员工会期望绩效考核目标小于等于 100 分。基于这种情况，可能员工最终的绩效考核目标在 90 分以下，因为这样员工不需要经过太多努力，就能实现目标。

很多员工会在设定绩效考核目标时，想尽一切办法“展示自己的无能”。因为这样可以让自己获得一个低目标，让自己更容易获得年终绩效考核的好成绩，从而拿到更高的奖金。

那些诚实本分，有多大劲儿就使多大劲儿的员工，却因为在设定绩效考核目标时没有隐藏自己的潜能，获得了高目标，很难获得年终绩效考核的好成绩，反而拿到了比较少的奖金。

如果不加管控，长期这样下去，所有员工都不愿展现自己的潜能，都会追求给自己制定低目标。这正是很多公司员工不思进取的原因。一些公司的员工有“不求有功，但求无过”的心态也是基于这个原因。

既然不能以绩效考核成绩或 360 度评估打分结果作为奖金分配的依据，那应该以什么作为奖金分配的依据呢？

答案是应该以价值贡献作为奖金分配的依据。贡献大、价值高的员工，获得更多的奖金；贡献少、价值低的员工，获得更少的奖金。

人才激励中有个规律：奖励什么，就会得到什么。

奖励绩效考核成绩高的员工，就会得到高的绩效考核成绩；奖励 360 度评估打分结果好的员工，就会得到好的 360 度评估打分结果。

而当以高价值为奖励标准时，就会得到高的价值。不论是评判员工有没有达成工作目标（绩效考核），还是评价员工日常工作的状态（360 度评估打分），其最终都是为评判员工有没有给组织创造价值、有没有为组织做出贡献而服务的。

既然如此，不如直接以价值创造和组织贡献作为奖金分配的依据。

1.2 问题分析：分奖金的典型认知

A 公司年终奖金分配的错误做法比较典型，很多公司在设计奖金分配机制时都会出现类似的错误。A 公司分奖金的典型错误有 3 个：一是试图将绩效考核成绩与奖金分配挂钩，造成员工追求低目标；二是能力强的人被更严格地要求，获得的奖金反而少，出现“鞭打快牛”的现象；三是奖金没有按照价值和贡献分配，体现不出差异化和导向性。

1.2.1 定高目标：不要用考核成绩发奖金

很多公司将奖金发放金额与员工目标达成情况或绩效考核成绩挂钩。前文已经提过，这种奖金分配方式会引导员工给自己设定低目标，不利于员工追求和达成高目标，与公司对员工的期望相悖。

正常情况下，每个公司都期望员工不断追求和达成高目标。但在奖金与员工目标达成情况或绩效考核成绩挂钩的公司中，就算公司各级管理者通过各种方式倡导、说服甚至强制要求员工设定高目标，员工的内心依然是抵触的，员工总是趋于通过各种方式避免设定高目标。

同样是设定目标，当公司以员工的价值贡献而非目标是否达成（绩效考核成绩）作为发奖金的依据时，员工还会期望目标越低越好吗？不会！这时员工不仅会自然而然地接受高目标，而且可能会主动给自己设定高目标。

《论语》中有："取乎其上，得乎其中；取乎其中，得乎其下；取乎其下，则无所得矣。"

《孙子兵法》中有："求其上，得其中；求其中，得其下；求其下，必败。"

《帝范》中有："取法于上，仅得为中，取法于中，故为其下。"

《沧浪集》中有："学其上，仅得其中；学其中，斯为下矣。"

大多数人都懂这样一个道理：

如果立一个上等的目标，可能达到中等的成绩；

如果立一个中等的目标，可能达到下等的成绩；

如果立一个下等的目标，可能什么成绩也达不到。

很多员工会想，既然目标是否达成与奖金分配无关，还不如给自己制定一个高目标，这样说不定可以通过高目标的激励，让自己实现更高的价值。

绩效管理工具目标与关键成果（Objectives and Key Results，OKR）倡导的正是这样一种绩效管理模式。为了让员工追求上进，OKR 更强调员工要敢于制定和达成比较高的目标。为鼓励员工制定高目标，OKR 没有把目标达成与否与奖金分配关联。

例如谷歌公司在应用 OKR 时，将员工的目标与关键成果分成 2 种：一种是承诺型的目标与关键成果，这种目标与关键成果是员工要确保完成的，预期得分为 1.0（表示 100% 达成）；另一种是愿景型的目标与关键成果，这种目标与关键成果是员工要争取完成的，预期得分为 0.7（表示 70% 达成）。

谷歌公司甚至认为，员工的目标与关键成果只有 60% 到 70% 达成才是正常情况。如果员工的目标与关键成果 100% 达成，说明员工目标制定得还不够高，说明员工没有对自己严格要求，没有充分发挥自己的潜能。

只有把员工的目标达成情况与奖金分配分开，员工才敢于追求高目标，敢于面对失败。其实，很多组织中员工的“不思进取”不一定是员工的问题，也不一定是组织文化的问题，很可能是组织的奖励机制出了问题，导致员工更倾向于追求低目标。

1.2.2 鞭打快牛：为什么能人越来越无能

与A公司的情况类似，在一些公司中，能力较强的员工由于承担责任较重，负责事情较多，绩效扣分较多；而能力平平的员工，平时做执行工作，却能拿到绩效高分。每次绩效分数出来后，那些能力较强的员工反而得不到激励。很多时候，员工是多做多错，少做少错，不做不错。

这种现象在绩效管理中被称为“鞭打快牛”。A公司的张三和李四的情况，像极了鞭打快牛的寓言故事。

有一位农夫，他有一头水牛和一头黄牛。一天，农夫拉着两头牛耕田，他先给黄牛套上犁枷，但任凭他怎么吆喝黄牛就是不走，折腾了半天也没耕多少田。无奈之下，农夫换上水牛来耕田，水牛比较自觉，也比较听话，不用农夫吆喝，就主动拉着犁往前走，但农夫还是不断地鞭打水牛。

水牛觉得很是不解，就停下来问：“主人，我已经尽心尽力地帮你拉犁了，你怎么还老是打我呢？”农夫说：“因为黄牛不拉，只有你拉，我不打你，让你跑快些，什么时候才能犁完这些田啊？少废话，快走！”说罢又是一鞭。

多次挨鞭子的水牛想：自己跑得越快，犁的田越多，被鞭打的机会就越多，而黄牛却在旁边悠哉悠哉地吃草，真是不公平。于是，它最终挣脱犁枷跑了。

鞭打快牛的故事每天都在不同的组织中上演，尤其是那些管理不到位的组织，造成组织中的“快牛们”怨声载道，而那些“慢牛们”却很潇洒。

有的组织特别重视处罚行为上的错误，而不重视鼓励行为上的贡献。也就是做的工作多的员工，错的就多，因为错的多，所以评价就低；而那些做的工作少的员工，错的就少，因为错的少，所以评价就很高。

在这些组织中，安于现状、守旧保守、不作为的人将越来越多。大家都不敢放开手脚做事情，生怕出错，得到来自组织的负面评价。

要防止鞭打快牛的现象在组织中蔓延，需要改变组织中对人力资源的管理方式和评价逻辑。首先，组织不要只看到“快牛”走得还不够快，要先看“慢牛”为什么总是那么慢。

知道了“慢牛”慢的原因之后，组织可以先从“慢牛”入手，通过教育培训，改变他们的态度、提高他们的技能；通过绩效管理，约束他们的行为；通过流程、工具、环境、方法的转变，改善他们的作业环境，把他们变成“快牛”。

其次，组织要搞清楚“快牛”为什么快。“快牛”快的原因有可能是“快牛”所在的团队好，工作环境好。组织要了解“快牛”是个体优秀，还是因为沾了集体优秀的光。

搞清楚“快牛”为什么快之后，组织就能够更理性地看待“快牛”和“慢牛”的问题。

有时候，组织出现鞭打快牛的现象，是人性使然，很难避免。有时候，组织会很自然地把“快牛”和另一个更优秀的“快牛”相比，却忘了还有“慢牛”。

为了避免这种惯性思维，组织可以给“快牛”和“慢牛”设置共同的目标，采取共同的评价标准，以惩罚或奖励他们。

最后，组织最好不要用扣分的方式，应该用加分的方式，当员工达成任务指标时立即加分。对于超出岗位正常要求的行为而导致的错误，组织要客观看待，或主动为员工的错误买单。

为避免出现鞭打快牛的现象，组织可以给“快牛”更多的激励，给“慢牛”更多的鞭策。如果发现优秀的“快牛”，要珍惜他，因为“快牛”应当获得更多奖励，得到更好的培养。总之，组织应将好的资源向“快牛”倾斜，鼓励他做得更好。

管理中有个“胡萝卜加大棒”的原理。组织可以用“胡萝卜”奖励“快牛”，用“大棒”鞭策“慢牛”。

另外，很多组织有个误区，就是把过多的资源、时间和精力放在“慢牛”身上，试图让他们变得更快。实际上，这种做法往往是不高效的。

管理中有个二八法则，讲的是在一个组织中，大约有20%的精英，创造着80%的价值。其他80%的人，创造着20%的价值。也就是，“快牛”永远是少数人，“慢牛”永远是多数人。

当组织有一定资源时，例如培训学习的机会、特殊的福利等，一定要向“快牛”倾斜，让他们继续为组织创造更高的价值，而不是把这些资源给“慢牛”，期望他们变得更优秀。

当20%的“快牛”创造的价值提升10%的时候，组织的价值会提升8%（80%×10%）。

当80%的“慢牛”创造的价值提升10%的时候，组织的价值只会提升2%（20%×10%）。

当资源有限的时候，激励原本就优秀的20%的“快牛”提升10%的价值往往比激励原本就不优秀的80%的“慢牛”提升10%的价值更容易。

1.2.3　重奖贡献：活力曲线如何激活动力

按照价值和贡献度发奖金后，奖金的分布会呈现一种什么状态呢？会不会出现有的员工奖金特别高，有的员工奖金特别低的情况呢？

以上文中A公司张三和李四的奖金分配为例，假设张三（老员工、能力强）在团队中的价值贡献度是 80%，李四（新员工、能力弱）在团队中的价值贡献度是 20%。公司给这个团队发了一笔 10 000 元的奖金，由王五分配给张三和李四，王五应如何分配呢？

此时奖金的计算方法就比较明确了。

张三的奖金 =10 000 元 ×80%=8 000 元。

李四的奖金 =10 000 元 ×20%=2 000 元。

张三的奖金额是李四的 4 倍。

前文已经演示过 A 公司常见的 4 种奖金分配方法，其中包括按照绩效考核得分或 360 度评估打分结果来计算奖金额，从结果能够看出，张三和李四的奖金额存在差距，但这些算法几乎不可能算出如此大的差距（除非张三绩效考核得分或 360 度评估打分结果是李四的 4 倍）。

问题来了：张三奖金额是李四的 4 倍这种状态合理吗？这样能起到激励效果吗？类似问题在笔者团队开展的同类咨询项目中经常被问到。对于一个团队中从事差不多岗位的员工，很多人能理解有明显业绩成果输出的岗位（销售、招商等）的年终奖金存在倍数差距，却难以理解没有明显业绩成果输出的岗位年终奖金存在倍数差距。

通用电气公司（General Electric Company，GE）的前 CEO 杰克·韦尔奇（Jack Welch）曾经提出“活力曲线”。杰克·韦尔奇将所有员工分成 3 类，活力曲线中员工的类别和比例如表 1-1 所示。

表 1-1 活力曲线中员工的类别和比例

类别	A 类	B 类	C 类
比例	20%	70%	10%

这种人才评价分类方法根据员工优劣通常呈现“两头小、中间大”的正态分布规律，划分出组织内每个等级员工的数量占比，然后按照每个员工的工作目标完成情况，强制按照比例列入其中的某类等级。

对于 A 类员工，杰克·韦尔奇采取的策略是不断奖励，包括岗位晋升、提高工资、股权激励等。对于从事相同岗位、相同职级的员工，有的 A 类员工得到的奖励（总和薪酬）是 B 类员工的 2 到 3 倍甚至更多。对于 B 类员工，杰克·韦尔奇会根据情况，适当地提高工资。C 类员工，不但不会有奖励，还将会被组织淘汰。

阿里巴巴公司同样参照活力曲线给员工分类。阿里巴巴公司认为人和人之间是有差异的，希望通过这种差异，对人才进行区分，同时通过这种方式，激励员工进步，帮助员工达到更高的目标。

刚开始推行时，对于 10 人以上的团队，阿里巴巴公司采取的是 20% 最好、70% 合格和 10% 较差的排布比例，后来逐渐演变成 30% 最好、60% 合格和 10% 较差的排布比例。不论是“271”还是“361”，这种对人才分类并设置不同奖励水平的内核原理没有变化。

阿里巴巴公司的绩效成果排布分成 6 档，如表 1–2 所示。

表 1–2　阿里巴巴公司的绩效成果排布示例

分数	代表含义	所占比例
3	不合格	10%
3.25	需要提高	60%
3.5	符合预期	
3.75	部分超过预期	30%
4	持续一贯超过预期	
5	杰出	

因为设置了高绩效目标，阿里巴巴公司员工拿到绩效高分的难度是比较大的。在阿里巴巴公司有这么一句话："没拿过 3.25 的人生是不完整的。"这句话其实是一句略带玩笑和鼓励的话，意思是在阿里巴巴公司，绩效评价标准是很高的，拿到 3.25 分是正常的，要坦然接受、敢于面对。

要拿到 3.75 分，意味着员工要付出 12 分的努力，而且要取得一定成果；要拿到 4 分，意味着员工不仅要付出努力、取得成果，还要突破常规，有一定的创造性；要拿到 5 分，员工在努力和创新的同时，还要对公司、社会有比较积极和长远的贡献。在阿里巴巴公司，很少有人能拿到 5 分。

不论是通用电气公司，还是阿里巴巴公司，都在运用活力曲线对员工进行分类，都在强调高绩效目标，都在对员工的成果和价值贡献做出奖励。

员工的价值贡献度高，得到的奖励就高。价值贡献度低的员工可能会有一些负面情绪，但他们会明白，如果自己也创造比较高的价值和贡献，也可以得到高奖励。

当然，这里的前提是对员工的价值贡献判断要足够客观。如果对员工的价值贡献判断不够客观，则员工可能不服评判结果。而且不客观的价值贡献判断也会让价值贡献度较低的员工不知道接下来该如何努力。

另外要说明的是，笔者这里的用词是"足够客观"，而非"绝对客观"，"足够客观"不代表不能有任何主观的成分。实际上，对很多岗位人才价值贡献的评价，难免会有主观判断。"足够客观"的含义可以是，评价成本可接受的、团队内普遍认可的客观。

1.2.4　典型误区：为什么用不好活力曲线

活力曲线在很多组织中有所应用，但在实际应用中，活力曲线也饱受争议。

有人问："如果某团队员工的工作成果事实上并不符合组织预想的分布规律，例如有的团队80%的员工工作成果都非常优秀，那么采用这种给员工分类的方法来发奖金将会遭到员工的排斥。如果硬要按照某个比例来给员工分类，评价的客观性和准确度是不是会大打折扣呢？”

根据笔者的经验，在实际中对活力曲线的应用常常会出现3类问题。

1. 团队氛围问题

排在B类和C类的员工可能会对排在A类的员工不满。尤其是排在B类的员工，有的实际上可能和A类员工差别不大，但工资和得到的奖励差别却很大。这造成了B类和C类员工的士气下降，工作变得消极，有工作都推给A类员工做。排在A类的员工虽然工资和奖金高，但在团队中受到排挤，也因此士气低落。

2. 结果公正问题

有些组织的人力资源部、办公室、财务部等行政部门由于员工数较少，通常会采取打包考核、同时评价的办法。但这些员工分属不同的部门，有不同的职责，而且所在岗位的价值贡献比较难评价。因此，最终的评价结果更偏向于直属管理者的主观评价。

既然偏主观评价，打分的标准和依据就有所不同。有的部门管理者为了让自己部门员工的排名靠前，就想方设法提高本部门员工的绩效考核分数，相对比较公正的部门管理者所在部门的员工反而分数较低。

主观评价过多，渐渐地，管理者和员工之间的关系就会变得微妙起来。员工发现管理者能左右自己的奖金，更倾向于“讨好”管理者，而非做好工作。

3. 应用实施问题

有些组织的评价结果出来后难以服众，一些客观上的优秀员工由于种种原因可能会被评为B类或C类，而一些客观上表现平平的人，却成了A类。管理者有公正的判断，看到这种结果后，不愿意按照这样的结果实施，可又不知道该怎么办，于是一直拖着不实施，反而给组织形象造成不良影响。

另外，有些组织个别岗位的员工虽然多次被评为C类，但由于这类岗位的专业性较强，组织需要甚至急需相关人才，而且这类人才难以从外部获取，所以组织实际上并不能真的将其淘汰。

总之，有些组织在应用活力曲线后，A类员工怪组织的管理者，没感受到激励；B类员工不服气，没感受到激励；一部分C类员工推卸责任，另一部分C类员工难以被淘汰，更没感受到激励。组织在实施这种方法后反而变得“混乱”。

实际上，这些问题大多是因为这些组织对活力曲线的应用不当。

1. 认识方面

活力曲线是一种人才分类评价的参考方法，其应用并不能代替绩效管理本身。组织本身的绩效管理质量决定了这种方法能否有效实施和落地。如果组织的绩效管理本身就有问题，再盲目应用活力曲线，就比较容易出现上述问题。

2. 支持方面

由于应用活力曲线之后，组织对不同类别员工的奖励不同，因此没有实施过这种方法、对这种方法理解不深的组织运用时要特别小心。在完善的绩效管理体系中，客观公正的人才评价、合理反馈的绩效结果、及时充分的员工沟通等工作对活力曲线应用的支持作用至关重要。

3. 实施方面

在应用活力曲线前，组织要做好充分的调研工作。选取的人才划分方式和划分比例要具有一定的依据和科学性，不能凭感觉来划分人才，也不必完全按照杰克·韦尔奇活力曲线来划分。在实际实施过程中，活力曲线可以存在一定的灵活调整空间。

对于人数比较多的组织，可以让整个组织的人员占比接近或达到方案要求，而不必强调每个部门或每类岗位的百分比都严格按照该类别划分。对于一些特殊岗位或不适合应用活力曲线的部门或岗位，也可以在实施前明确其不参与。

总之，活力曲线的原理和方向是对的，很多组织发现其难以实施落地，多是因为在实施过程中出现问题，没有真正理解活力曲线的含义，没有让活力曲线得到正确实施和应用，没有把活力曲线的原理和组织自身的实际相结合。

1.2.5　延伸案例：阿里巴巴如何激活团队

阿里巴巴公司绩效管理体系借鉴自绩效管理已经比较成熟的美国通用电气公司，所以在建立之初，就有比较好的框架基础。

其中，阿里巴巴公司引入了活力曲线作为人才评价的基本框架，并建立了基于这个工具的激励制度和淘汰机制。在此基础上，阿里巴巴公司根据自身的管理风格和需求，形成了具有自身特点的绩效管理体系。

1. 坚持高绩效文化

为实现公司快速发展，阿里巴巴公司的绩效目标普遍是比较高的，员工要达成绩效目标是比较困难的。要让公司的使命和商业现实相结合，阿里巴巴公司需要快速发展壮大，需要迅速形成影响力，构建理想的商业模式。

2. 双轨制考核

阿里巴巴公司采用价值观和业绩并重的双轨制绩效考核体制。价值观决定了公司的初心，决定了公司未来如何延续统一的行事风格。阿里巴巴公司坚信价值观的力量，把公司价值观纳入绩效考核的范围，对价值观考核和业绩考核同等重视（各占50%左右），通过绩效考核让价值观得到落地和延续。

3. 中西结合

阿里巴巴公司把东方智慧和西方管理方法相结合，坚持以活力曲线作为人才评价的基本框架，给员工提供更大的工作权限和更多的资源支持。同时为了强调员工的成长与发展，阿里巴巴公司引入了政委体系，在绩效管理的过程中，不仅重视达成业绩目标，更持续关注员工能力的发展。

4. 强调管理者的作用

阿里巴巴公司的绩效管理特别强调管理者在整个管理过程中的作用，强调上级对下级的评价，而不是让 HR 来评价员工。这其实是对绩效管理追根溯源的正确认识和正确做法，可很多公司把绩效管理丢给了人力资源部，让 HR 来评价员工，导致绩效管理推行不下去。

5. 全员相互评价

很多公司对员工的评价只来自团队管理者一人，可员工的工作状态是多维度的，一个人对员工的评价往往是不完整、不客观的，所以员工互评就显得很有必要。不是只有直属上级给员工打分，其他人也可以给员工打分。上级可以随时对员工进行评价，阿里巴巴公司甚至强调管理者要记录员工的具体事件，以便新的管理者能够看到之前的评价。

阿里巴巴公司对业绩部分的绩效考核模式是关键绩效指标（Key Performance Indicator，KPI）模式。阿里巴巴公司一直认为大部分工作是可以量化的，每个员工都应当有自己的 KPI，每个团队也应当有自己的 KPI。KPI 应成为团队共同奋斗的目标和调配资源的依据。

对于阿里巴巴公司绩效管理的特点，也有一些不同的声音。有人认为把价值观和业绩相结合的绩效考核方式，对创业初期入职公司的员工来说是有效的，但随着阿里巴巴公司的极速扩张，对那些只是表面上认同阿里巴巴公司的文化的员工，可能并不适用。

另外，阿里巴巴公司内部一些员工对绩效管理也有一些不同的看法。一位阿里巴巴公司的前员工曾写过一篇名为《KPI 心理学》的文章，指出了阿里巴巴 KPI 考核的弊病。

阿里巴巴集团大部分的员工，每季或每半年都要接受一次 KPI 考核。关于用 KPI 来考核，许多员工其实都有一些负面的看法，而管理层也知道采用 KPI 有时会有负面效果，但是找到更好的方法之前，还是仰赖 KPI。

我已经到阿里巴巴公司的支付宝上班一年多了，对于 KPI，我有四阶段的心理变化，值得描述一下。

刚进公司时，我对 KPI 的重视程度是 70%。大多数的时间，我做的事都是 KPI 设定的任务，有些事情，虽然不是 KPI 关注的任务，但只要对公司有利，我依然会去做。这是第一阶段。

后来，我对 KPI 的重视程度降低到 30%。大多数的时间，我做的事都是对公司有益的事，至于是不是 KPI 的重点我就不太在乎了。这是第二阶段。这是对公司最好的阶段。

接着，我发现做正确的事会导致自己的 KPI 考核成绩不好，无法升迁，于是我开始转变至 100% KPI 导向。只要不是 KPI 的内容，我就不愿意做，这是第三阶段。公司把一个员工逼到这个阶段，是很可悲的，对公司也是一种伤害。

第三个阶段不会持续太久，会逐渐变成第四个阶段：对 KPI 的重视程度为 0。这表示员工对自己在这家公司的前途已经不在乎，准备换工作了。我现在正处于第四阶段，至于会不会有第五阶段，我就不知道了。

1.2.6 疑难问题：绩效指标越量化越好吗

很多组织的管理者强调绩效指标一定要量化、客观，可实际有些岗位的绩效指标难以做到量化和客观，对这类岗位采取不量化的、主观的绩效指标就不准确吗？主观的绩效指标比客观的绩效指标更差吗？如何平衡绩效指标量化程度与量化成本之间的关系呢？

为了保证绩效评价体系的客观性和公平性，许多管理者在设置绩效指标的时候，希望把所有的绩效指标都设置成定量的指标，以避免被考核人产生负面情绪或避免绩效申诉。

实际上，关于绩效指标一定要量化的认知是一种典型的错误认知。绩效指标应当尽可能做到能够被衡量，而非尽可能量化。能够被衡量并不等于量化。

所谓能够被衡量，指的是目标应当是可以被细化为以事实为依据的或可以量化的，同时信息要是可以被获取的。

能够被衡量有 3 层含义。

1. 尽可能客观

可以衡量的目标应当尽可能客观，而非尽可能量化。

例如，张三今天下午 5 点前，要完成对房间窗户玻璃的擦拭任务，让玻璃看上去光洁透亮。这个目标不量化，但可以被衡量，只需要在下午 5 点时，到张三的房间检查一下窗户玻璃有没有达到“光洁透亮”的状态就可以了。

相比于追求目标的量化，更应当追求目标的客观。客观的评判像是标准化的尺子，主观的评判则更像是一把凭感觉画刻度的尺子。

当然，这里并不是否定目标量化，能客观地量化目标当然是最好的。但如果是主观地量化目标，则量化就显得没有意义。

例如，张三给自己制定的目标是要让上级对自己的满意度达到 90 分。可上级对张三的满意度是主观评价，并不能完全反映张三的真实能力。这种目标显然是有问题的。

2. 以事实为依据

可以衡量的目标应当以事实为依据，用事实来衡量。

例如，某公司的总经理助理岗位同时承担着一些公共关系维护的职责，因为这项职责非常重要，为了能够评价这项职责，总经理希望给该岗位人员制定这项职责相关的目标。

可这项职责相关的目标很难量化。公共关系维护的职责要求总经理助理定期与相关机构负责人会谈，定期会见一些关键人物。这些会谈与会见很多时候是没有实质结果，但又必须要做的。如何定义这个目标呢？

要围绕这项职责设定目标，则必须做进一步的关键事件分解和关键流程聚焦，明确总经理助理岗位人员每月要做的具体事件，以这些事件是否发生为依据来判断是否达成这项职责相关的目标。

3. 能够被获取

可以衡量的目标应当能够被获取，能够被获取的才能够被衡量。

例如，张三觉得头晕，去医院检查，发现自己患有低血糖，原因可能是最近减脂采取了轻断食方式，影响了自己的健康。于是他制定目标，增加每天的食物摄入，让血糖恢复正常水平。

可张三没有自测血糖的设备，他判断自己的血糖是否处于正常水平的方式就是感受自己是否头晕。他认为如果自己头晕就是血糖不正常，如果不头晕就是血糖正常。这显然是非常不科学的。如果血糖数据不能够被科学地获取，那“让血糖恢复正常水平”显然就不能成为一个有效的目标。

总之，可以衡量的目标，应尽可能是客观的，最好是量化的，但并不需要一味追求量化，应当以事实作为衡量的依据，同时，目标达成情况应是能够被有效获取的。

绩效管理的过程，不是简单的数据统计过程。绩效管理过程中，管理者和员工要发挥主观能动性，为了更好地实现某个目标而共同努力。所以绩效管理过程中强调的客观公正，重点在于管理者和员工双方的沟通，而不仅在于量化的数据结果。很多时候如果过分强调量化，反而会出现问题。

例如某公司在设置绩效指标时，给某部门设置的一项指标是培训计划完成率，定义是在规定的时间内，部门需要按照年初制定的培训计划来实施培训。要完成这项指标其实并不难，可是单就这项指标来看，其完成对公司最终目标的达成并不一定有绝对的正面意义。

很多公司的培训计划是在年初制定的，有的部门在运营过程中条件已经发生变化，部门内的员工近期也都在忙新的工作，按理说不需要再组织培训，但为了完成指标，可能该部门硬着头皮也要培训。这样的培训缺乏目的性和必要性，往往效果很差，实际上浪费了员工的时间，增加了公司的管理成本，得不偿失。可从客观的量化结果上看，该部门却完成了指标。

不是所有的指标都具备能够被量化的特点，只有当绩效指标可以被量化、相对容易被量化、相对容易被衡量的时候，量化指标才是有必要的。如果不具备能够被量化的特点，而硬要量化，结果将演变成为了量化而量化，为了绩效考核而绩效考核，绩效管理最终很可能会演变成一种形式，而不是帮助公司解决问题、实现目标的工具。

当然，这里并不是说量化的绩效指标不好，或者公司做绩效管理不需要重视量化指标。而是说公司在设置绩效指标的过程中，不需要过分强调量化指标的应用，也不需要把一些原本不需要量化的指标变成量化的。用过于复杂的方法去追求绩效指标量化的绩效管理是没有意义的，也是有害的。

1.3　解决方案：激发活力的奖金分配机制

基于对问题的梳理和分析，结合 A 公司的诉求和期望，笔者团队给 A 公司设计了年终奖金分配方案。这套方案可以分成 4 步：确定奖金发放基数，确定奖金池的金额标准，测算部门的奖金分配系数和部门奖金分配额，落实岗位和个人的奖金额。

在本节中，每一小节介绍一个步骤的具体做法和实施原理。除此之外，还分别介绍出勤对奖金的影响和发放奖金的注意事项。

1.3.1　发放基数：绑定集体与个人利益

发放奖金的基数，应当与公司整体效益挂钩，做到：如果公司效益不好，个人的奖金额也将减少；如果公司效益好，个人的奖金额也将提高。这种将公司效益与个人利益相关联的做法，有助于增强员工的责任意识，提高员工的工作积极性。

根据公司整体效益确定奖金发放基数的方法有 3 种。

（1）以公司净利润作为基数，按一定比例作为奖金基数。

举例

某公司年终净利润额为 2 000 万元，按照董事会决议设定好的规则，提取 10% 用来给员工发放年终奖金。

年终奖金基数 =2 000 × 10%=200（万元）。

（2）采用累进利润法来确定奖金提取比例。即规定若干个利润段，在不同的利润段采用不同的提取比例，利润越高，提取比例也相应越高。

举例

公司规定利润额的达标值是 200 万元，当利润在 200 万元以内时，提取比例为 0，也就是无年终奖；当利润在 200 万元到 500 万元时，提取比例为 5%；当利润在 501 万元到 1 000 万元时，提取比例为 10%；当利润在 1 001 万元到 2 000 万元时，提取比例为 15%；当利润达到 2 000 万元以上时，提取比例为 20%。

累进利润法的奖金提取比例如表 1–3 所示。

表 1–3 基于利润额的不同奖金提取比例

利润额（万元）	奖金提取比例
小于 200	0
200 ~ 500	5%
501 ~ 1 000	10%
1 001 ~ 2 000	15%
大于 2 000	20%

（3）采用利润率分段法来确定奖金提取比例。即规定若干利润率分段，利润率越高表明公司盈利能力越强。

举例

规定利润率的达标值为 2%，当公司利润率在 2% 以内时，提取比例为 0，也就是无年终奖；当公司的利润率在 2% ~ 4% 时，则提取比例为 5%；当公司的利润率处于 5% ~ 8% 时，提取比例为 10%；当利润率超过 8% 时，则提取比例为 15%。

利润率分段法的奖金提取比例如表 1–4 所示。

表 1–4 基于利润率的不同奖金提取比例

利润率	奖金提取比例
小于 2%	0
2% ~ 4%	5%
5% ~ 8%	10%
大于 8%	15%

A 公司当前追求净利润增长，客观情况更适合第 2 种奖金基数确定方法。经过笔者和董事会的充分讨论，A 公司最终选择了第 2 种提取奖金基数的方法——累进利润法。

1.3.2 抵御风险：长远打算设计奖金池

当年的奖金，要不要当年发放呢？或者更准确地说，去年创造的价值，今年经审计的财务报表出来后，要不要全额兑现奖金呢？

很多人会想当然地认为，既然要发奖金，当然是全额发放了。可假如今年公司效益比较好，大家拿到的奖金较多，明年效益比较差，大家预期拿到的奖金较少，纷纷选择离职，怎么办呢?

考虑到公司经营的风险，为保证员工收入的长期稳定性，比较稳妥的做法是根据奖金基数设定一个奖金池，把一定数量的奖金保留在奖金池中，以抵御公司因业绩波动而产生的年终奖金骤降的风险。

奖金池的设计逻辑如表 1-5 所示。

表 1-5　奖金池的设计逻辑

关系		第 1 年	第 2 年	第 3 年	第 4 年
	当期年终奖金基数额度（万元）	100	120	15	50
+	期初奖金池余额（万元）	0	50	85	50
=	可付的奖金池余额（万元）	100	170	100	100
×	支付奖金的比例	50%	50%	50%	50%
=	支付奖金额度（万元）	50	85	50	50
	期末奖金池余额（万元）	50	85	50	50

每年按照 50% 的比例预留奖金，第 1 年应发放的奖金基数为 100 万元，当年发放 50 万元奖金，预留 50 万元奖金。

第 2 年的效益比第 1 年好，应发放的奖金基数为 120 万元，加上上年预留的 50 万元奖金，当年发放 85 万元奖金，预留 85 万元奖金。

第 3 年的效益较差，应发放的奖金基数仅为 15 万元，加上上年预留的 85 万元奖金，当年发放 50 万元奖金，预留 50 万元奖金。

第 4 年的效益有所好转，应发放的奖金基数为 50 万元，加上上年预留的 50 万元奖金，当年发放 50 万元奖金，预留 50 万元奖金。

有了奖金池后，即使在第 3 年和第 4 年因业绩问题，奖金基数明显减少的情况下，公司依然可以对冲待发放的年终奖金总额骤降的风险。

有了奖金池，员工不会感受到年终奖金的大起大落，公司达到稳定员工队伍的心理预期的目标；而如果业绩持续提高，奖金基数持续增长，发放的奖金数额可以持续增长。

1.3.3　战略贡献：部门的奖金分配系数

通过当年应发放的奖金基数和支付奖金比例计算出当年应发放的奖金总额后，接下来要把奖金分配到不同部门。根据前文提到的按照价值贡献来分配奖金的原理，公司可以评判不同部门的价值贡献，据此分配奖金。

要评判部门的价值贡献，可以引入一个值——部门奖金分配系数。部门奖金分配系数的计算过程可以分成以下 3 步。

1. 确定部门战略贡献系数

部门战略贡献系数是指各部门对公司战略贡献的差异。要计算部门战略贡献系数，需要公司董事会或最高管理层对各部门的战略贡献能力进行评价。

一般来说，考虑到部门之间的团结与协作，除有明确效益提成策略的部门（例如销售部门、拓展部门、招商部门等）外，比较稳妥的做法是不要让部门之间的战略贡献系数差别太大，否则会造成部门之间的奖金分配额差异过大。

举例

某公司对各部门的战略贡献能力进行评价后，把各部门的战略贡献系数界定在 0.8~1.2，战略贡献系数变动单位为 0.1。该公司各部门战略贡献系数如表 1-6 所示。

表 1-6 某公司各部门战略贡献系数

部门战略贡献程度	部门战略贡献系数
非常相关（A）	1.2
比较相关（B）	1.1
一般相关（C）	1
比较不相关（D）	0.9
基本不相关（E）	0.8

各部门的战略贡献系数可以根据公司所处的商业周期、公司战略、公司经营重点、组织文化、公司所处的行业、公司的营销模式、公司的核心人力资本构成等因素综合考虑，由董事会或最高管理层讨论并最终确认。

2. 确定各部门的工作成果系数

根据各部门的工作成果，确定各部门的工作成果等级。这里的工作成果等级可以根据公司部门的数量或特点等进行设计，例如可以分成 A（成果出色）、B（达成期望）、C（基本完成）、D（仍需努力）和 E（急需改进）。

不同的工作成果等级对应着不同的工作成果系数。工作成果系数的中位值一般是 1，系数之间的差值可以根据工作成果最大部门和工作成果最小部门之间工作成果的差异来测算或定义。除此之外，还可以定义部门工作成果系数的变动单位。

举例

某公司将各部门的工作成果系数界定在 0.5 ~ 1.5，部门工作成果系数的变动单位为 0.1。该公司各部门工作成果系数如表 1-7 所示。

表 1-7　某公司各部门工作成果系数

部门工作成果等级	部门工作成果系数
A（成果出色）	1.4/1.5
B（达成期望）	1.1 ~ 1.3
C（基本完成）	1
D（仍需努力）	0.7 ~ 0.9
E（急需改进）	0.5/0.6

3. 确定各部门战略贡献系数和工作成果系数的权重

有了各部门的战略贡献系数和工作成果系数后，接下来，需要确定战略贡献系数和工作成果系数的权重。也就是对某部门来说，究竟是战略贡献系数更重要，还是工作成果系数更重要，或者说公司更看重部门的战略贡献，还是更看重部门的工作成果。

部门战略贡献系数和工作成果系数的权重可以由公司董事会或最高管理层商讨决定。常见的权重分配有 3 种：战略贡献系数权重为 40%，工作成果系数权重为 60%；战略贡献系数权重为 50%，工作成果系数权重为 50%；战略贡献系数权重为 60%，工作成果系数权重为 40%。

有了各部门战略贡献系数、各部门工作成果系数和它们的权重后，就可以计算出各部门的奖金分配总额了。

举例

采购部的战略贡献度系数为 1.1，工作成果系数为 1，战略贡献系数的权重为 50%，工作成果系数的权重为 50%，可以计算出采购部的奖金分配系数为：1.1（战略贡献系数）×50%（战略贡献系数权重）+1（工作成果系数）×50%（工作成果系数权重）= 0.55+ 0.5=1.05。

部门奖金额的计算公式如下。

部门奖金额 = 公司奖金池的总额 × 部门奖金占比。

其中：

部门奖金占比 =[（部门所有员工基本工资之和 × 部门奖金分配系数）÷ 公司所有的（部门所有员工基本工资 × 部门奖金分配系数）之和]×100%。

举例

某公司有 A、B、C、D、E 5 个部门，年底奖金池的总额为 5 000 000 元。该公司每个部门的人数、奖金分配系数和所有员工基本工资之和如表 1–8 所示。

表 1–8　某公司各部门人数、奖金分配系数和工资情况

部门	部门人数	部门奖金分配系数	所有员工基本工资之和（元）
A	10	2.0	100 000
B	20	1.8	180 000
C	30	1.5	240 000
D	50	1.2	350 000
E	100	1.0	600 000

A 部门的奖金占比 =[（100 000×2.0）÷（100 000×2.0+180 000×1.8+240 000×1.5+350 000×1.2+600 000×1.0）]×100% ≈ 10.504 2%。

B 部门的奖金占比 =[（180 000×1.8）÷（100 000×2.0+180 000×1.8+240 000×1.5+350 000×1.2+600 000×1.0）]×100% ≈ 17.016 8%。

C 部门的奖金占比 =[（240 000×1.5）÷（100 000×2.0+180 000×1.8+240 000×1.5+350 000×1.2+600 000×1.0）]×100% ≈ 18.907 6%。

D 部门的奖金占比 =[（350 000×1.2）÷（100 000×2.0+180 000×1.8+240 000×1.5+350 000×1.2+600 000×1.0）]×100% ≈ 22.058 8%。

E 部门的奖金占比 =[（600 000×1.0）÷（100 000×2.0+180 000×1.8+240 000×1.5+350 000×1.2+600 000×1.0）]×100% ≈ 31.512 6%。

A 部门的奖金额 =5 000 000×10.504 2%=525 210（元）。

B 部门的奖金额 =5 000 000×17.016 8%=850 840（元）。

C 部门的奖金额 =5 000 000×18.907 6%=945 380（元）。

D 部门的奖金额 =5 000 000×22.058 8%=1 102 940（元）。

E 部门的奖金额 =5 000 000×31.512 6%=1 575 630（元）。

1.3.4　落实岗位：个人的奖金分配计算

算出各部门的奖金额后，就可以基于公司的绩效管理体系，算出员工的奖金额。对员工价值贡献度的划分可以根据活力曲线 20%、70%、10% 的比例来界定，公司员工的等级和比例也可以参照活力曲线的比例来划分。

计算员工的奖金额时，需要根据员工的价值贡献（工作成果）确定员工的奖金分配系数。与部门的战略贡献系数类似，员工的价值贡献（工作成果），也可以分成不同类别。

例如，员工的工作成果等级、奖金分配系数和价值贡献比例的对应关系，如表 1–9 所示。

表 1-9　员工的工作成果等级、奖金分配系数和价值贡献比例

工作成果等级	奖金分配系数	价值贡献比例
超出期望（A）	1.4/1.5	20%
达到期望（B）	1.1 ~ 1.3	70%
基本达到（C）	1	
需努力（D）	0.7 ~ 0.9	10%
需改进（E）	0.5/0.6	

员工个人年终奖金的计算公式如下。

员工个人奖金 = 部门奖金额 × 员工个人奖金占比。

其中：

员工个人奖金占比 =[（员工基本工资 × 奖金分配系数）÷ 所有（部门员工基本工资 × 奖金分配系数）之和]×100%。

举例

某部门有张三、李四、王五、赵六 4 名员工，该部门年终奖金总额为 500 000 元，4 名员工的奖金分配系数和基本工资如表 1-10 所示。

表 1-10　某部门员工奖金分配系数和基本工资

员工	奖金分配系数	基本工资（元）
张三	1.5	10 000
李四	1.2	9 000
王五	1.2	8 000
赵六	1.0	8 000

张三的奖金占比 =[（10 000×1.5）÷（10 000×1.5+9 000×1.2+8 000×1.2+8 000×1.0）]×100% ≈ 34.562 2%。

李四的奖金占比 =[（9 000×1.2）÷（10 000×1.5+9 000×1.2+8 000×1.2+8 000×1.0）]×100% ≈ 24.884 8%。

王五的奖金占比 =[（8 000×1.2）÷（10 000×1.5+9 000×1.2+8 000×1.2+8 000×1.0）]×100% ≈ 22.119 8%。

赵六的奖金占比 =[（8 000×1.0）÷（10 000×1.5+9 000×1.2+8 000×1.2+8 000×1.0）]×100% ≈ 18.433 2%。

张三的个人奖金 =500 000×34.562 2%=172 811（元）。

李四的个人奖金 =500 000×24.884 8%=124 424（元）。

王五的个人奖金 =500 000×22.119 8%=110 599（元）。

赵六的个人奖金 =500 000×18.433 2%=92 166（元）。

1.3.5 出勤影响：出勤和奖金对应关系

以上算法得到的只是员工理论上应得的奖金，员工实际得到的奖金还与员工的出勤情况有很大关系。员工奖金和出勤情况之间应遵循怎样的关系并没有绝对正确的算法，具体可由公司在合法合规的前提下，在薪酬制度中规定。常见可选的方式一般有如下 2 种。

1. 根据实际出勤占比计算

这种方式首先需要确定员工在该年的应出勤天数，如果员工实际出勤天数大于或等于应出勤天数，则发放全额的年终奖；如果员工实际出勤天数小于应出勤天数，则按照如下公式计算员工的年终奖。

员工应发年终奖 = 员工应分配的年终奖 ×[（员工实际出勤天数 ÷ 员工应出勤天数）×100%]。

举例

某公司规定员工每年的最低出勤天数为 220 天。员工实际出勤天数超过该天数发放全额年终奖；不足该天数的，按比例折算。张三该年度实际出勤天数为 100 天，计算出年终奖为 100 000 元。

张三该年应发年终奖 =100 000×[（100÷220）×100%] ≈ 45 454.5（元）。

2. 根据缺勤情况计算

这种方式是规定出员工缺勤情况与年终奖折扣的关系，计算员工应发年终奖。

举例

某公司规定员工缺勤（不包含旷工）时长在 80 小时以内全额发放年终奖，缺勤 80 小时以上，按照表 1-11 的比例扣发年终奖。

表 1-11　某公司员工缺勤情况与年终奖折扣比例关系

缺勤时间（小时）	80 ~ 160	161 ~ 400	401 ~ 800	801 以上
折扣比例	20%	50%	80%	100%

张三某年度缺勤 15 天（120 小时），计算出年终奖为 100 000 元。

张三该年应发年终奖 =100 000×（1−20%）=80 000（元）。

为强化员工考勤管理，员工旷工对年终奖金影响的规定宜严不宜松。例如可以规定旷工 1 天年终奖减 20%，旷工 2 天年终奖减 50%，旷工达到 3 天不发放年终奖。

1.3.6 注意事项：奖金发放该注意什么

在年终奖金发放过程中还需明确并注意如下事项。

1. 发放时间

奖金发放时间一般应以公司当年的绩效情况为依据，用到的数据是经审计后的财务数据，一般应在年终总结完成后的 30 日内完成全部的奖金发放工作。

可供参考的年终奖金发放时间如表 1-12 所示。

表 1-12　年终奖金发放时间

时间安排	年终总结日（*S*）	*S*+10 日前	*S*+20 日前	*S*+30 日前
进程	公司整体及各部门根据上年度绩效完成情况进行总结。高层管理者商定年终奖金发放基数和公司整体奖金池数额	算出各部门奖金的分配系数和具体金额	确定全公司所有人员的奖金分配方法	处理绩效结果申诉。核准年终奖金并发放

2. 员工异动

年终奖金发放前要明确规定如果出现员工的异动，年终奖金如何发放。员工异动分为 2 种：一种是内部异动，主要包括员工晋升、降职、调岗等情况；另一种是外部异动，主要包括员工辞职等情况。

一般而言，内部异动员工的年终奖可以根据员工在不同岗位期间的绩效和出勤情况分别计算后加总算出。如果员工在某岗位的在岗时间较短，比如 2 个月以内，则也可以规定在岗时间少于一定时间段的，统一按照在岗时间较长的岗位计算。

有的公司规定对外部异动的员工一律不发放年终奖，这种做法并不合法合规。

3. 员工申诉

鉴于绩效评价或年终奖金的计算可能出错，公司应留出 10 天到 20 天的时间给员工申诉。如果是绩效评价相关的问题，员工应按照绩效管理相关制度向有关部门（如绩效管理委员会）提出申诉；如果是年终奖金计算问题，员工应向奖金计算部门提出申诉。

4. 内容公开

为让年终奖金发挥应有的效果，避免员工间的猜疑，关于年终奖发放整个方案的决策、计算过程和依据应本着公开透明的原则向全体员工公布。内容公开与“密薪制”不冲突，这里的公开是公开奖金的发放标准和计算方法，而非公开每个员工奖金的数额。

第2章 销售提成激励设计案例

销售端是组织最直接的业绩来源，销售队伍对组织来说就好比是一台挖掘机的“爪子”，“爪子”越大、越结实，挖掘的动力越足，最后挖到的“金子”就越多。因此销售岗位除了基本工资，还要有提成作为激励。设计销售岗位的薪酬时，需要重点考虑薪酬的激励性和保障性。

2.1 问题梳理：让人提不起兴趣的销售提成

B 公司是一家年营业额超 50 亿元的 A 股制造业上市公司。公司上市前，凭借着最高管理团队在开拓市场方面的资源和不懈努力，B 公司经历了一段时期的“快速发展”，收获了比较好的业绩，并凭借着良好的业绩表现成功上市。

然而随着公司不断扩张和上市后股东对业绩的要求，依靠最高管理层个人能力开拓市场的做法早已不能满足长远发展需要，于是 B 公司在 6 年前开始重点策划筹建销售团队，销售网络覆盖全国。

几年下来，虽然公司业绩略有增长，但远不能达到高层管理者的预期。销售团队虽然对公司业绩增长起到了一定作用，但同时也表现出管理混乱、销售人员没有干劲、销售新人没有成长等问题。

2.1.1 问题背景：令人不满的销售奖励

B 公司向笔者团队提出咨询项目需求时，提到了销售人员薪酬设计、有激励效果的销售提成设计、销售人员能力有效提升等关键需求。笔者团队到场时，B 公司全国销售队伍的总人数已经达到 300 多人。

在笔者访谈了 B 公司的总经理、分管销售的副总经理、销售总监、几位销售分公司负责人和一些基层的销售人员后，发现 B 公司在销售团队管理上存在 4 类主要问题。

1. 新员工的培养问题

B 公司销售人员招聘难，招来的员工没有经过系统的训练，员工流失比较严重。老员工不愿教新员工，新员工既不知道该学什么，也不知道该向谁学。留下的销售人员，都是自学成才、自成一派的。

面对不成熟的新员工培养机制，面对居高不下的新员工流失率，B 公司该怎么办呢？

2. 新市场的开发问题

B 公司销售团队中不少人平时的主要工作是维护依靠高层管理者对接的老客户，还有一些销售人员把工作重心放在维护自己开发的老客户上。维护老客户是对的，也有很多理论研究表明维护一个老客户产生的收益大于开发一个新客户产生的收益。

可整个销售团队都不愿意开发新客户，将直接导致 B 公司销售市场规模增长缓慢。面对新市场的开发问题，B 公司该怎么办呢？

3. 老市场的拓展问题

除了新市场的开发问题，还有老市场的拓展问题。虽然B公司的产品已经在市场上小有名气，但产品的市场份额并不大。要扩大市场份额，除了开发新市场，还可以拓展老市场。

然而B公司的销售团队似乎在拓展老市场方面同样有些“不思进取”。面对老市场的拓展问题，B公司该怎么办呢?

4. 老员工的激励问题

B公司有一些大浪淘沙留下的老员工，他们因为摸索出了一套销售方法，业绩比较出色。这些老员工发现，只要紧紧把握住几个大客户，每年不需要付出过多努力就可以获得源源不断的提成。

这些老员工觉得：开发新市场和拓展老市场需要付出太多努力，轻轻松松地维护老客户，拿着高收入，岂不美哉？面对老员工的激励问题，B公司该怎么办呢?

2.1.2　问题模型：销售人员的坎坷成长

B公司销售部门的问题可以从一个普通销售人员成长的视角来展现。

小李大学毕业后，应聘到B公司的销售岗位工作。他当初选择B公司是因为看好这个行业，他想挑战一下自己。

小李来应聘的时候人力资源部门对他进行了简单的面试，让他填写了一些表格以后，就直接安排他上岗了。上岗后，销售经理只是给了他一摞宣传材料，里面有公司简介和产品简介，销售经理向他介绍了一下部门的其他同事，给他安排了办公位，安排他领了一些办公用品，给他下达了销售任务，交给他几张客户名单，然后就让他直接开展工作。

小李刚毕业，没什么工作经验，但凭着对这份工作的热情，还是选择了坚持。可是，他对产品了解甚少，对业务也是一头雾水，转眼半年过去了，他连一单生意都没做成，每月只能拿到固定工资。这让他看不到希望。和小李同期入职的很多员工都已经选择了离职。

幸运的是，B公司有个老员工看小李比较单纯诚实，也挺有拼劲儿，就传授给小李一些销售技巧，并给了小李不少鼓励。这让小李重拾信心，不久后，他达成了自己的第一笔交易。

渐渐地，小李凭借自己的不懈努力，摸索出了一些销售门道，于是开发了一个又一个客户，收入慢慢高了起来，他也打消了离职的念头。如何拿到更多奖金呢？理论上，开发更多的客户，取得更高的销售额就可以了。

可是小李发现，相比于维护老客户，开发新客户要难得多，而且公司当前的销售提成政策只看销售人员的销售额，不看销售业绩来源于老客户还是新客户。这让小李对开发新客户提不起兴趣。

小李觉得只需要维护好老客户，每年有相对固定、稳中有升的销售收入，就不用再那么努力地工作了。做销售不需要每天坐班，外出也没人管，工作自在，生活惬意，周围那些比较年长的销售人员也都是这么做的，有样学样，小李慢慢变得松懈了。

过了几年，小李成为老员工，虽然公司倡导老员工要培养新员工，但他想：新员工的成长跟自己也没什么关系，何必花费时间和精力来培养新员工呢？

最终，小李变成了自己曾经最讨厌的样子。

从一个普通销售人员的成长经历，就能串联出B公司销售部门存在的问题。

2.1.3 问题根源：失败的销售管理体系

B公司销售部门存在的问题，不仅是销售提成机制的问题，还包括整个销售管理体系的问题。

1. 新员工的成长问题

“事不关己，高高挂起”“教会徒弟饿死师傅”，这些俗语是B公司销售队伍的真实写照。受大浪淘沙观念的影响，B公司的各级管理者并不十分关注销售部门新员工的成长。然而居高不下的离职率、较低的成才率，直接提高了B公司销售部门的招聘成本。

新员工的成长“没人管”，造成新员工的业绩差；新员工的业绩差，造成新员工拿到的奖金少；因为拿到的奖金少，新员工没有物质方面和精神方面的满足感，所以就选择离职。而招来的新员工再次进入这个循环。

2. 新市场的开发问题

人们总是趋向于用最少的付出达成对自己有利的事情。B公司新市场开发问题的本质是销售提成机制没有将对开拓新市场提供额外的奖励纳入其中。

新客户对公司的产品不熟悉，对品牌没有建立起信任。同样是取得销售业绩，开发新客户远比维护老客户难。这时，如果销售提成机制不涉及对新客户的开发单独给予奖励，销售人员当然对此提不起兴趣。

3. 老市场的拓展问题

对于在老市场拓展方面存在消极态度的问题，B公司很多销售人员给出的理由是公司产品主要是被客户用作原材料，客户如果没有扩大生产的计划，对B公司产品的消耗量就是固定的。面对这些老客户，就算努力了也没有太大作用。

可实际上，虽然B公司的产品确实被很多客户用作原材料，但大多数客户并没有把B公司作为唯一的原材料供应商。B公司产品在很多客户的同类原材料采购中的比重不足30%，存在成长的机会点。也就是说，B公司在老市场拓展方面具有较大成长空间，然而很多销售人员并没有察觉到这一点。

4. 老员工的激励问题

B公司销售部门中的老员工倡导小富即安，比较喜欢偷懒。这种氛围让很多新员工看在眼里，有样学样。当新员工拥有了一定数量的客户，销售提成达到一定数额后，也变得懒惰起来。

要改变这种现状，得想办法让老员工行动起来。这些老员工中销售能力较强的员工，假如这部分人能开展行动，将大大促进销售额的提升。

总之，B 公司销售部门虽然有问题，但通过找到问题的根源，对症下药，问题得到解决后，销售业绩提升的机会是比较大的。

2.2 问题分析：销售提成的典型认知

在销售提成设置方面，B 公司核心管理层在认知和思维方面有很多错误观念。笔者团队在帮助 B 公司设计销售提成机制、实施解决方案前，首先向 B 公司的相关管理团队点出并纠正了这些错误观念。

2.2.1 前沿认知：收入差距越大，动力越大

假设有 2 支销售队伍（假设每支都是 20 人），这 2 支队伍除了销售提成策略不同导致员工收入不同，其余各方面都一模一样。

在甲队伍中，收入最低的销售人员年收入为 10 万元，收入最高的销售人员年收入为 20 万元；在乙队伍中，收入最低的销售人员年收入为 10 万元，收入最高的销售人员年收入为 100 万元。甲队伍和乙队伍中的销售人员的工作动力是相同的吗？哪个队伍的销售人员工作动力更大、干劲儿更足呢？

答案是乙队伍。

为什么呢？

因为乙队伍销售人员的收入差距大，收入较低的销售人员必然会产生情绪。而这种情绪将驱动其做出改变，从而提高自身收入。

前阿里巴巴公司的首席运营官、首席人才官关明生在一次分享中说，阿里巴巴的 B2B（Business To Business，企业对企业）业务刚开始筹建销售队伍时，他希望销售队伍中能形成一个“百万俱乐部”（销售人员年收入达到 100 万元）。当时阿里巴巴公司的 B2B 业务的大多数销售人员的收入在 10 万元左右。

一开始很多人觉得这是天方夜谭。要知道那是 2004 年前后，按照那时的房价，100 万元足够在北京几个主要城区买下一套 150 ㎡左右的房子了。当时阿里巴巴 B2B 业务采取的是“阶梯型提成法”（后文会提到具体做法），也就是销售业绩越好，提

成比例越高。销售人员拿到百万元的年收入存在理论上的可能性。

当终于出现第 1 个年收入达到 100 万元的人时，关明生非常兴奋。他知道接下来很快会有更多年收入超过 100 万元的销售人员。后来果真如此，第 2 年阿里巴巴的 B2B 业务就陆续出现了十几个拿到 100 万元年收入的销售人员。之后更是有人不断刷新业绩，打破公司的高收入纪录。

为什么拉开销售人员的收入差距，能够激励其产生行动呢？

想象一个场景：在本小节开头的 2 支队伍中，甲队伍成员见面后会是什么状态呢？会聊什么话题呢？因为甲队伍销售人员的收入差异很小，消费能力和消费水平相似，所以大概率销售人员之间聊的话题会是相似的。

乙队伍呢？因为乙队伍销售人员的收入差异较大，其消费能力和消费水平已经不是一个量级，所以大概率销售人员之间会有话题上的差异。而且收入低的销售人员会对收入高的销售人员有一定的羡慕或嫉妒情绪，从而激励自身行动。

这其实运用了管理中的“鲶鱼效应”。鲶鱼效应也叫激活效应，公司有时为了实现管理目标，可以利用鲶鱼效应来激活人才的工作动力。要发挥鲶鱼效应的作用，公司可以刻意引入或培养鲶鱼型人才。

阶梯型的销售政策是鼓励销售人员取得良好业绩的方式。实际取得良好业绩的销售人员也能成为鲶鱼型人才，激活组织中的其他人。

公司可以借助鲶鱼型人才来促进内部的变化。有效地引入鲶鱼型人才，能够打破组织内部原本的平衡，创造新的平衡；打破原来的节奏，形成新的节奏；打破原有的文化，建立新的文化。

2.2.2 情绪能量：情绪如何驱动行为产生

前文提到高收入的销售人员可以调动其他销售人员的情绪，从而激发其行为。在激发人的行动方面，没有什么比调动情绪能量更有效的方法了。这里有一个词——情绪能量。没错，情绪实际上是一种流动的能量（Energy in Motion）。

关于情绪对人行动的影响，心理学界有大量的研究。著名心理学家戴维·R. 霍金斯（David R.Hawkins）就曾对人类在不同情绪下对应的能量等级做过研究。

很多人奇怪为什么他们明知道做某件事对自己有益，但就是不愿意做这件事。例如明知道学习对自己有帮助，但就是不愿意学习，为什么呢？很可能是因为这类人对做某件事毫无情绪或抱有负面情绪。

拿学习举例。河北考生王心仪以 707 分的成绩考入北京大学中文系。她的一篇《感谢贫穷》打动了无数人，其中有这样一段内容。

感谢贫穷，你让我坚信教育与知识的力量。物质的匮乏带来的不外是两种结果：一种是精神的极度贫瘠，另一种是精神的极度充盈。而我，选择后者。

我来自一个普通但对教育与知识充满执念的家庭。母亲说过，这是一条通向更广阔世界的路。从那时起，知识改变命运的信念便深深地扎根在我的心中。

感谢贫穷，你赋予我生生不息的希望与永不低头的气量。农人们都知道，播种的时候将种子埋在土里后要重重地踩上一脚。第一次去播种，我也很奇怪，踩得这么实，苗怎么还能破土而出？可母亲告诉我，土松，苗反而会出不来，破土之前遇到坚实的土壤，苗才能更茁壮地成长。长大后，当我再次回忆起这些话，才知道自己也正是如此了。

匮乏的物质生活促使王心仪产生了一种强大的情绪力量，使其迫切想要通过努力改变现状。

《史记·范睢蔡泽列传》中有："日中则移，月满则亏。物盛则衰，天地之常数也。"意思是任何事情到了圆满时，接下来必然会走下坡路。当人们站在山顶时，不论怎么走，都是下坡路。要想走上坡路，要让自己时刻保持"缺"的心态。

以自己举例，笔者一直是一个精力充沛、行动力很强的人。

很多认识笔者的人都说笔者是"工作狂"，笔者确实是个对工作乐此不疲的人。经过反思，笔者的结论是成长经历让笔者缺乏安全感。安全感的缺乏被放大到情绪上，变成了一种情绪能量，推动着笔者行动。

想改变现状的强烈愿望给了笔者强大的行动力。笔者的家庭比较特殊，笔者从小由爷爷奶奶带大，家庭的经济条件不是很好。这也许是笔者热爱工作的原动力，别人家孩子有父母支持，而笔者没有，一切都要靠自己。

笔者上大学时，很多同学不愁吃穿，安心学习，笔者为了赚钱，业余时间发过传单、做过导购、摆摊卖过饼干，还帮学习班做过招生。

后来笔者创业失败，欠了几十万元的债，而且因为创业，错过了毕业季，一度找不到工作。

经历过那段黑暗的时期，笔者觉得不拼命不行。凭着这个劲头，笔者在职场上一路晋升。后来到了职业瓶颈期，又不安于现状，买过股票，买过基金，被骗过，也亏过不少钱。

一路磕磕绊绊，笔者取得了一些成绩，也有过不少失败，但不论如何，没有丢掉梦想和行动力。所以笔者的竞争力日渐提升，思考力也在不断增强。总结下来，笔者的行动逻辑如图 2-1 所示。

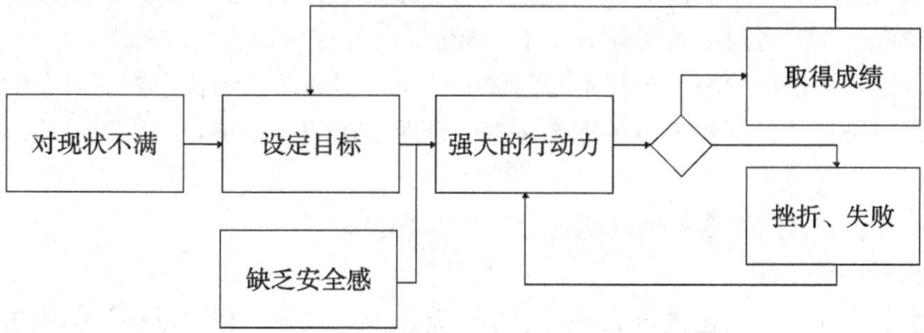

图 2-1　笔者的行动逻辑

对现状的不满让笔者给自己不断设定目标，缺乏安全感和设定目标，让笔者具备非常强的行动力。

强大的行动力不一定会带来好的结果，挫折和失败反而进一步激发了笔者的行动力；当取得成绩时，笔者就重新设定目标。这套逻辑自成增益式闭环系统，形成良性循环。

从缺乏安全感到具备强大的行动力，得益于情绪能量的帮助。

实际上，情绪是人类的能量来源之一。人类大量有意识行为，都是由情绪在推动。善于感受情绪、调动情绪，有助于人们产生巨大的行动力。

2.2.3 翻转思维：销售提成多，公司业绩好

很多公司管理者嘴上说要给销售人员发高工资，真到了要发高薪的时候，又觉得舍不得，大有“既要马儿跑，又要马儿不吃草”之势。

实际上，那些不舍得给销售人员发高薪的公司，是“不会算账”的公司。

正常经营的公司通常会有 2 类成本。

一类成本是不变成本，也叫固定成本（Fixed Cost），指的是只要公司开展经营活动，就一定会产生的成本，也指那些为公司正常经营已经支付的成本。例如公司经营场所的租金或设备的租金等。

另一类成本是可变成本（Variable Cost），也就是随着公司销售额的增加，不断提升的成本，例如原材料的成本、能耗成本、人工成本等。可变成本随销售额的变化而变化，二者通常会呈现出某种线性关系。

利润 = 销售额 - 总成本。

当销售额较低时，固定成本较高，因此公司利润水平为负。

随着销售额不断提升，当达到某一点时，达成收支平衡。这个点通常也被称为公司的盈亏平衡点。

随着销售额继续提升，公司逐渐有了利润。

需要说明的是，销售额的增加和利润的增长并不是等比例关系。当销售额超过盈亏平衡点一定范围后，利润的增长幅度比销售额的增长幅度更大。因此，销售额增加后，公司有更大的利润空间来激励人才，能够实行阶梯型销售提成机制。

所以在开拓市场阶段，公司不必为较多的销售提成而感到舍不得。只要销售提成政策的逻辑是对的，销售人员的提成越多，证明公司的业绩越好，公司最终的利润额也越高。

为严谨表达，这里要特别说明 3 点注意事项。

1. 公司所处阶段

本小节描述的“销售人员的提成越多，公司业绩越好、利润越高”的逻辑通常适合处于发展初期或快速发展期的公司。这类公司的特点是产品的市场份额不高，期望

迅速打开市场或拓宽市场。如果公司在市场中已经处于领先地位，公司的市场份额较高、较稳定且难以再提高，则不一定适合当前逻辑。

2. 可变成本与销售额的关系

在本小节中，为简化说明，将可变成本与销售额之间确立为二元线性关系。但在实际中，二者通常会呈现出某种曲线关系。所以随着销售额的增加，利润额实际会发生何种变化，还要看二者的实际关系。

3. 提成政策的匹配程度

销售提成机制中的具体条款要和公司所处的阶段匹配，也要和可变成本与销售额的关系匹配。如果销售提成机制有问题，则可能出现公司支付销售人员过多提成，销售人员奖金较高，但公司利润却较低的情况。

尽管如此，对于多数公司来说，依然基本遵循“销售人员的提成越多，公司业绩越好、利润越高”的逻辑。

2.2.4 无效方案：提成增加却换不来业绩提高

在笔者团队到 B 公司后，还有一个小插曲。B 公司的销售总监因为销售人员的积极性不高，曾经提出过一个销售提成机制。

这个机制的大致内容是 A 产品的提成比例由 $a_1\%$ 变为 $a_2\%$（$a_2 > a_1$），B 产品的提成比例由 $b_1\%$ 变为 $b_2\%$（$b_2 > b_1$），C 产品的提成比例由 $c_1\%$ 变为 $c_2\%$（$c_2 > c_1$）。整个方案只有结果，完全没有测算过程和数据分析模型。

笔者粗略测算了一下，按照这个销售提成机制，销售人员达到去年同样的水平，销售提成将比去年至少增长 80%。

也就是说，公司本来付出 1 元的成本（提成），能拿回 5 元的价值（销售额），现在平白无故变成要付出 1.8 元的成本（提成），才能拿回 5 元的价值（销售额）。

当然，前文提过，让销售人员拿到高薪不是坏事。销售人员拿到的提成越多，通常代表公司的业绩越好、利润越高。所以大方向上，不应克扣销售人员的提成，但这也不代表无序增长。

而且按照当前版本的销售提成机制，如果公司业绩比去年增长 5%，销售人员的提成会达到去年的 2.5 倍。这意味着公司付出了 2.5 倍的成本，换来了 5% 的销售额增长。那么，明年要怎么办呢？未来要怎么办呢？

从当前的销售提成机制中，笔者看不到能给销售人员带来动力的点，也看不到能给公司带来的好处。如果笔者是一名销售人员，当然会为这种销售提成机制拍手叫好，因为不需要付出多少努力，就能大幅涨薪。

笔者说明这一点后，建议公司财务部门按照当前销售提成机制的逻辑做详细的数据测算和分析，关键是测算投资回报比率，之后再在数据模拟预测的基础上讨论具体提成比例。总经理非常认可笔者的意见，并安排财务部门着手操作。

很快，财务部门有了测算结果，并将结果告知了销售总监，销售总监修改了原来的销售提成机制。有意思的是，新一版的销售提成机制只是修改了几个比例。

新一版的销售提成机制中，在销售业绩中增加了2个档，一个是“力保额”，另一个是“目标额”。例如，当销售额低于“力保额”时，提成比例是$a_1\%$；当销售额高于“力保额”低于“目标额”时，提成比例是$a_2\%$；当销售额高于“目标额”时，提成比例是$a_3\%$。（$a_3 > a_2 > a_1$）

这种做法有点类似阶梯提成法，但二者的底层逻辑却并不相同。销售总监设置“力保额”的理由是销售人员预期明年的市场行情不好，能够做到“力保”就很不容易了。可销售人员对市场的预期一定是准确的吗？

设置“力保额”和“目标额”的做法是没有意义的。公司在设置年度销售额预算的时候已经考虑过“力保”了，结果就应该是“销售预算”。销售政策中有了“力保”，等于告诉所有销售人员：公司“公开支持”销售人员“达不成”目标。

2.2.5 错误认知：从人力资源到人力资本

除以上错误认知外，在人才培养方面，B公司还有个典型的错误认知。B公司认为培养销售人员是在浪费时间，还不如直接招聘一些销售人员，靠大浪淘沙筛掉不合格的销售人员，留下比较优秀的销售人员。

这种人才观不仅不利于培养优秀人才，而且可能是销售队伍人才流失的根本原因。这种观念源自人才认识问题。

什么是人力资源？什么是人力资本？二者之间有什么不同呢？抛开那些难懂的概念，一个公式和一句话就能说明白。人力资本 = 人力资源 + 对其的开发利用。人力资源是公众的，而人力资本是自己的。

什么意思呢？当人力作为一种资源而存在的时候，它的属性是不以人的意志为转移的。例如水、空气、石油、天然气、金属、煤炭等自然资源，是客观存在的。那么，这些自然资源是如何转化为资本的呢？两个字：开发！要把人力资源转化成人力资本，同样需要开发。

著名的管理学家彼得·F. 德鲁克（Peter F. Drucker）说：“手工工作者是一种资源成本，而知识工作者则是一种资本，这种资本就是通常所说的人力资本。”员工所具备的知识与技能能够提高生产力水平，是一种资本，因此美国经济学家西奥多·W. 舒尔茨（Theodore W. Schultz）将其称为人力资本。

从组织层面，人们常提到的人力资源通常代表着组织的规模和员工的数量，实际代表着人力资源的“量”；笔者说的人力资本是组织内所有成员受教育程度、技能、经验的总和，代表着人力资源具备的“质”。

对人力资源和人力资本的不同认识在实务中体现在对待人才问题的观点和抉择。

想象一下，假如另一个小李到了B公司，同样从事销售工作。不同的是，B公司的人力资源部在小李上岗前，对他进行了公司发展史、组织文化、规章制度等各方面的培训，使他先对公司有了部分了解。

到岗后，小李又接受了产品知识、销售技巧等方面的培训，随后销售经理给他安排了一位资深销售人员做导师，在实战中手把手地教他。在小李完全熟悉后，才让小李独立开展工作。

在部门每周的例会上，销售经理会组织大家对销售过程中的疑难问题进行讨论，帮助销售部门的新员工解决问题，不断提高销售队伍的整体素质。相信小李在这种全面的训练和细致的辅导下，很快就能入门。

加上小李自身也有做好这份工作的意愿，销售业绩大概率会迅速提升。工作上的成果也会体现在工资上，随着小李能力的逐渐增强，业绩逐渐提升，每月的提成也会逐渐增加。这样就形成一个“能力提升—创造价值”的良性循环，小李也不会轻易离职。

B 公司当前的做法和上述假设的做法本质不同。B 公司当前的做法是将人才仅视为资源，只要招进来就算完成任务；上述假设的做法是将人才视为资本，根据公司需要不断对其经营开发，让其升值，成为公司的利润来源。

两种做法导致的结果可想而知：一种是在感叹“人才难求”，一直忙于寻找好的销售人员；一种是人才济济，公司经营业绩不断提高。

这就是把人力作为资源和资本的不同做法和不同结果，只有将人力视为资本，不断开发人才，使人才不断成长，才能经济地拥有人才，才能拥有充足的人才，让组织获得源源不断的利润。

2.3 解决方案：不同情况的提成方案

B 公司总经理曾对笔者说“期望您能给我们带来一套销售提成的正确方案”。其实，与其说销售提成方案正确或不正确，不如说销售提成方案适合或不适合。不存在一套放之四海而皆准的销售提成方案，不同的情境下，适合采取不同的销售提成方案。

2.3.1 三大结构：销售岗位薪酬结构设计

销售岗位的薪酬通常由 3 部分组成，分别是固定薪酬、福利津贴和销售提成。

1. 固定薪酬

销售人员的固定薪酬，也可以叫底薪。销售底薪通常分为 3 种类型。

（1）无责任底薪或无业务底薪，这种底薪每月是固定的，与销售人员的业务完成情况无关，只与出勤有关。

（2）有责任底薪或有业务底薪，这种底薪是随着销售人员的业务完成情况而变化的，计算时同样需要兼顾出勤情况。

（3）混合制底薪，这种底薪是前两种的结合，通常是把底薪分成了两部分，一部分为无责任底薪，另一部分为有责任底薪。

2. 福利津贴

销售岗位的特殊性，决定了销售人员可能经常会面临出差、加班等需求，有的甚至长期驻外，作息的时间、耗费的精力和付出的努力通常与“朝九晚六”的岗位不相同。

除了必要时产生的加班费，销售岗位通常还有一定的差旅津贴、交通津贴、探亲津贴、餐费津贴等各类为销售人员考虑、具备一定补贴性质的岗位津贴。

除此之外，公司还可以给销售岗位设置一些体现关怀的专属福利。

3. 销售提成

一般人认为，销售提成应是销售人员薪酬结构中占比最高的部分，但这并不准确。选择低提成（提成在销售人员工资结构中占比较低）模式还是高提成（提成在销售人员工资结构中占比较高）模式，需要根据行业、市场、品牌、产品特性、管理体系、客户群体等的不同而定。销售提成模式选择参考如表 2-1 所示。

表 2-1　销售提成模式选择参考

提成模式	公司发展阶段	公司规模	品牌知名度	管理体系	客户群体
低提成	成熟期	较大	较高	成熟	稳定
高提成	成长期	较小	较低	薄弱	不稳

低提成模式的优势是能够稳定和维持组织现有的客户和市场，保持组织的外部稳定，有利于组织平稳发展。

高提成模式的优势是能够激发销售人员开发市场和扩大销售的积极性，有利于组织开拓新业务、快速占领市场。

一般的销售提成计算公式如下。

销售提成 = 提成基数 × 提成比例 − 各类扣项。

提成比例可以根据组织所处的行业、业务情况、产品的特性以及竞争对手的薪酬水平计算而得，而常见的确定销售提成基数的方式有 3 种。

（1）按照销售的实际回款金额计算。这种方式的好处是能够有效避免销售人员一味地追求销售合同金额、发货量或成交量的持续增长，忽略实际到账金额，而造成组织产生大量呆账、坏账等现金流风险。

（2）直接根据销售合同、发货量或成交量的金额提成。例如组织新推出一款产品，希望快速推广应用时，或组织新发展了一项业务，经验和成熟度不足，希望快速得到市场的认可时，这种提成方式就相对比较有效。

（3）将提成分成两部分，一部分按照销售合同、发货量或成交量的金额计算，另一部分按照实际回款的金额计算。这种方式的好处是既考虑了新产品或新业务的拓展，又考虑了组织的现金流风险。

一般来说，销售提成基数的选择可参考表 2-2。

表 2-2　销售提成基数参考

提成基数	组织战略	组织发展阶段	组织经营风险
按回款额提成	稳定经营 降低财务风险 持续的现金流	成熟期	较小
按合同额提成	迅速推广应用 快速抢占市场	成长期	较大
按回款额和合同额相结合提成	保障当前的现金流 创造未来的现金流	成长期	中等

2.3.2　重在激励：销售岗位薪酬设计要点

设计任何岗位的薪酬前，首先要对这类岗位的主要工作和期望结果有所了解。

销售岗位的职责通常包括 4 项。

1. 销售规划

销售岗位在开展销售前，首先要进行销售任务的规划。

例如制定战略性大客户的开发及维护策略；根据公司战略规划、发展需要和目标，制定年度市场规划和市场拓展计划，并进行公司年度市场和拓展计划的分解、实施、跟踪分析；采取有效的销售策略，并完成销售目标。

2. 客户维护和管理

销售岗位在开展销售过程中，要持续开展客户维护和管理。

例如项目跟踪、客情跟进和维护；战略性的大客户和重要客户的相关来访接待工作；将客户在质量、技术等方面反馈的信息，及时传递到相关部门，及时有效地解决客户各方面的问题；做好客户台账和客户信息的管理工作，保证客户台账和客户信息的真实、完整。

3. 销售管理

销售岗位在进行销售后，要实施销售管理。

例如制定销售相关的流程、制度等政策性、规范化的管理文件，统筹公司及事业部各销售业务和开发单元。

4. 保证回款

如果客户支付账期较长，回款速度较慢，对公司来说可能造成损失。这时销售人员要持续与客户联络，保证及时回款。

例如销售货款的及时回收和催收，完善销售回款业务循环的业务流程及风险识别和防控。

在设计销售岗位的固定工资和津贴福利时，应充分考虑以上 4 项职责。

在设计与销售提成相关的薪酬时，要考虑与销售岗位息息相关的业绩指标。销售岗位通常比较直接地影响着公司的经营业绩，与这类岗位关联比较紧密的指标通常包括如下 6 类。

（1）销售收入情况。例如销售收入增长额或增长率、毛利率等。

（2）销售费用情况。例如销售费用额、销售费用率控制等。

（3）销售回款情况。例如货款回收率、坏账率等。

（4）客户开发情况。例如新业务拓展完成率、新增客户数量等。

（5）客户维护情况。例如客户复购率、市场占有率、客户满意度等。

（6）计划完成情况。例如营销计划完成率、销售合同履约率等。

在设计销售岗位的激励工资时，应充分考虑这些因素的变化对浮动工资的影响。

举例

某公司销售人员薪资＝基本工资＋提成＋年终奖金＋专项奖金。

基本工资按公司岗位薪酬标准按月发放；提成分为销售提成和差价（利润）提成两部分，上半年兑现一次，下半年兑现一次；年终奖金是根据公司年度经营业绩情况，经公司董事会批准后给公司员工的奖励；专项奖金是公司总经理给年度做出突出贡献的销售人员的专项奖励。

公司对销售人员实施季度绩效考核，将考核结果作为兑现提成的重要依据。考核结果为百分制，由财务中心核准，并经销售中心负责人与总经理签字确认后生效，考核结果与提成挂钩。即提成＝考核基数 × 提成比例 ×（考核得分 ÷100）。

销售人员的绩效考核如表 2-3 所示。

表 2-3　销售人员绩效考核

项目	分值	考核项目	考核标准
业绩考核	80 分	销售增长率（G）=（本期销售额 - 去年同期销售额）÷ 去年同期销售额（30 分）	$G \geqslant 20\%$：考核得分 =30 分
			$15\% \leqslant G < 20\%$：考核得分 =20 分
			$10\% \leqslant G < 15\%$：考核得分 =15 分
			$0 < G < 10\%$：考核得分 =10 分
			$G \leqslant 0$：考核得分 =0 分

续表

项目	分值	考核项目	考核标准
业绩考核	80分	回款率（W）= 本期累计回款 ÷（本期销售额 + 期初应收款 − 期末未到期应收款）（20分）	$W \geqslant 90\%$：考核得分 =20分
			$80\% \leqslant W < 90\%$：考核得分 =15分
			$65\% \leqslant W < 80\%$：考核得分 =10分
			$50\% \leqslant W < 65\%$：考核得分 =5分
			$W < 50\%$：考核得分 =0分
		新客户销售占比（N）（当期新客户销售额 ÷ 当期销售总额）（20分）	$N \geqslant 20\%$：考核得分 =20分
			$15\% \leqslant N < 20\%$：考核得分 =15分
			$10\% \leqslant N < 15\%$：考核得分 =10分
			$5\% \leqslant N < 10\%$：考核得分 =5分
			$N < 5\%$：考核得分 =0分
		毛利率（P）（根据公司财务核算，公司平均毛利率为 P_0）（10分）	$P \geqslant P_0$：考核得分 =（$10 \times P/P_0$）分
			$P < P_0$：考核得分 =（$5 \times P/P_0$）分，基准分减半执行
基础管理	20分	合同规范、各种报表及时提交情况（5分）	基本能按期提交得5分，逾期提交但积极配合得3分，逾期与缺项目得1分，不配合得0分
		市场信息搜集、反馈的准确性、及时性（5分）	较了解市场情况得5分，基本了解市场情况得3分，一般了解市场情况得1分，不了解市场情况得0分
		团队协作，执行力（4分）	团结协作，执行力强得4分；协作一般，执行力较强得3分；协作、执行力均一般得1分；协作差，执行力不强得0分
		基础素质、工作能力（3分）	素质高、能力强得3分，一项强、一项弱得2分，两项皆弱得0分
		学习力、成长性（3分）	善于学习、成长快得3分，学习较认真、成长一般得2分，不学习、不成长得0分
	加减分	经销商培养	培养1家以上有实力的经销商加5分，有2家以上有意向的经销商加2分，无意向经销商扣5分
		重大贡献和重大违规	提出合理化建议，被公司采纳且发挥效益一次加5分，出现一次重大违规或给公司造成重大损失扣5分
		销售费用	按月度统计差旅费、招待费、礼品费等工作过程中需公司承担的各项费用，每超过预算1%，扣1分
合计	100分	综合考核得分	业绩考核得分 + 基础管理得分 + 加减分

绩效考核得分是评价销售人员的依据，公司按得分高低，对销售人员实行末位淘

汰。连续 2 次绩效考核得分排倒数第 1 位者，将被调离目前的销售岗位，调整到其他岗位。连续 2 次绩效考核得分排前 2 位者，职级在原基础上提升一级，基本工资随之调整。

销售提成＝含税销售额 × 提成比例 ×（绩效考核得分 ÷100）－ 应收账款滞纳金 + 其他奖励。含税销售额包括销售人员所负责经销商的销售额，即经销商从公司采购货品的含税金额。

差价（利润）提成＝（含税销售额 － 基准价销售额）× 提成比例 × 销售回款率，差价提成不小于零。基准价销售额指按公司基准价格，当期销售业务产生的营业额。

销售回款率＝本期累计回款 ÷（本期累计销售额 + 期初应收款 － 期末未到期应收款）。其中，现金、现汇、银行承兑视为回款，商业承兑在承兑到期收回才计算回款。

含税销售额以销售开出的发货通知单为计算依据，以半年度最后一个工作日前收到客户签字确认的对账单为准。

公司财务货款回收确认时间上半年为 6 月 30 日，下半年为 12 月 31 日，货款回收时间与提成的关系如下。

（1）自发货通知单开出之日起 90 天内货款到账按规定比例计算提成。

（2）自第 91 天起将计提货款回收滞纳金，计算方法为应收账款的 0.02‰（以天计息）。自发货通知单开出之日起一年以上没有回收的货款，个人要承担全部的诉讼费和全部货款的损失。

（3）鼓励开发大客户，对年度大客户（年度销售额 1 000 万元以上）货款的回收期限给予适当延长。

2.3.3 开发客户：首单业务大力度提成法

奖励什么，就会得到什么。

当公司期望开发新客户或卖出新产品时，可以对新客户 / 新产品的首单销售业务加大提成力度。利用这种销售制度，公司能够鼓励销售人员发展新业务和新客户，能够在短时间内增加客户数量。

这种提成方式适用于公司当前的客户群体比较稳定，销售业务主要依靠当前客户的重复下单、消费或订货，公司为了增加经营业绩、避免经营风险，需要开发新客户时。

但是，其产品本身就具备一次性消费特性的公司，不适合采用这种提成方式，例如房地产销售公司、汽车销售公司、家居销售公司。

为了降低公司风险，这种提成方式在实际应用中可以有一定的条件。例如新客户首单销售业务完成后，后续还有 2 次到 3 次新的销售业务产生时，再兑现首单业务的大力度提成；可以在首单金额达到一定额度时，进一步加大提成力度。

举例

某公司销售岗位的提成制度中有如下规定。

（1）现有客户的销售提成比例为含税销售额的5‰，新开拓客户的销售提成比例为含税销售额的8‰。新客户指新开拓客户（以前未购买过我公司产品），或虽然之前购买过我公司产品，但金额不足今年总销售额5%的客户。

（2）差价（利润）提成比例为差价金额的5%。所销售产品为代加工产品的，以销售价格与进货价格差额的3‰给予提成。转售的提成比例为进销差价的5%。

（3）对公司有重要意义的新产品、高附加值产品的拓展（产品名录由公司确定），经总经理签字确认，全额回款后，在现有提成的基础上，额外给予销售额5‰的提成奖励。

（4）对公司内部非业务人员提供信息成功开发客户，同样执行本制度的提成方式给予奖励。

（5）对年度在市场开拓、货款回收与客户维护等方面做出突出贡献的业务人员，经销售中心推荐，总经理批准，给予专项奖励。专项奖励在年底发放。

（6）业务人员要随时关注客户的经营状况和重大事件，如重大投资情况、股东变化情况、高层管理者变动情况，并及时给销售中心领导和公司相关部门汇报，以便及时采取措施。对于因监管不到位、汇报不及时和业务人员责任或失误造成的经济损失，包括坏账，界定为责任性风险。对责任性风险，个人应承担全部责任，重大责任者应以个人财务补偿，否则企业有权利向法律部门提起诉讼。

2.3.4 开拓市场：阶梯型增长提成法

常见的提成法可以分成两类，一类是固定提成法，另一类是浮动提成法。

1. 固定提成法

固定提成法指的是提成与业绩增长呈二元线性关系的提成形式。业绩每增加 X 个单位，销售提成增加 $A \times X$。

举例

某房地产销售公司规定房地产经纪人每月的提成为房屋成交价的1%。房产经纪人张三今年连续5个月的房屋成交额和提成如表2–4所示。

表 2-4　房屋成交额和提成对应关系举例

月份	1 月	2 月	3 月	4 月	5 月
房屋成交额（万元）	150	50	80	300	70
月提成（万元）	1.5	0.5	0.8	3	0.7

2. 浮动提成法

浮动提成法指的是提成与业绩增长呈阶梯型或指数型增长关系的提成形式。当公司期望扩大市场规模，或扩大市场占有率时，可以采取这种销售提成方法。

浮动提成法的具体操作方式是：当业绩落在某个范围内时，销售提成的比例为 A，提成为提成基数 $\times A$；当业绩达到另一个水平时，提成比例为 $A+B$，提成为提成基数 $\times$（$A+B$）。

举例

某汽车销售公司为了鼓励销售人员，制定阶梯式的提成政策，如表 2-5 所示。

表 2-5　某汽车销售公司提成比例举例

每月汽车销售数量（台）	每台车的销售提成（元）
$X < 10$	100
$10 \leqslant X < 20$	200
$20 \leqslant X < 30$	300
$30 \leqslant X < 40$	400
$40 \leqslant X < 50$	500
$X \geqslant 50$	600

该公司销售人员张三今年连续 5 个月的汽车销售量和提成如表 2-6 所示。

表 2-6　张三今年连续 5 个月的汽车销售量和提成

月份	1 月	2 月	3 月	4 月	5 月
汽车成交量（台）	35	8	22	28	41
月提成（元）	14 000	800	6 600	8 400	20 500

每月的汽车销售量不一样，每台车的销售提成也不一样。

张三 1 月销售了 35 辆汽车，提成是 14 000 元，5 月销售了 41 台汽车，提成是 20 500 元。这两个月张三卖车的数量只差了 6 台，但销售提成却差了 6 500 元。这是因为张三卖车的数量落在了不同的区间，每台车的销售提成不同。

实际上，阿里巴巴公司早年做 B2B 业务的时候，为了迅速扩张，采取的就是阶梯型增长提成策略。早年淘宝还没办法实现赢利，阿里巴巴公司就是靠 B2B 业务给淘宝提供稳定的现金流，才让淘宝得以发展，才有了后来在电商领域的发展。

2.3.5　激活团队：强制型内部竞争提成法

当公司想要激发销售人员的潜能、积极性和竞争意识，鼓励销售部门内部形成“比学赶超”的氛围时，可以选择强制型内部竞争提成法。这种方法是让销售部门内部同类产品的销售人员强制竞争，根据竞争结果而采取不同的销售提成比例。

很多工作时间比较久的销售人员积累了一定客户后，就不愿努力开发新客户了。或者在有些行业，开发一个客户能长久受益，工作时间比较久的销售人员销售额特别高，新人却成长不起来。这个时候，就比较适合运用强制型内部竞争提成法。

强制型内部竞争提成法通常适用于那些积极主动性低、行动力弱、执行力弱、安于现状、没有明确的工作目标、潜能没有得到充分发挥的销售队伍。但是，对于同类别的销售人员不到 3 个人的销售队伍，或负责关键大客户的销售人员，一般不适合采用这种方法。

这种方法的心理学原理是，大多数人受到的激励来源于与自己同阶层的其他人，人们总是偏向于希望自己成为这个群体中的胜者。当事实与想象不符时，人们就会开始行动。竞争的目的，是促进所有人不断进步。

实施这种方法时需注意，有时候纯粹按照销售额排名往往会造成团队中排名靠前的销售人员总是一些经验相对比较丰富、客户资源相对稳定的资深销售人员，持续按照这种方式排名反而会降低销售新手以及排名靠后的销售人员的积极性，也不会对排名靠前的销售人员产生刺激效果。

有效避免这种情况的方法是按照比例而不是金额排名。这里的比例，可以是每个销售人员销售业绩占部门总销售业绩比例的增加值。公司可根据部门内销售份额的增加或减少，实施不同的销售提成比例，如表 2-7 所示。

表 2-7　销售份额竞争提成法演示

销售份额变化	销售份额减少 $b\%$ 以上	销售份额减少 $b\%$ 以内	销售份额不变	销售份额增加 $a\%$ 以内	销售份额增加 $a\%$ 以上
提成比例	$c\% - d\% - e\%$	$c\% - d\%$	$c\%$	$c\%+d\%$	$c\%+d\%+e\%$

举例

在一个由多人组成的销售队伍中，强制型内部竞争提成法实施情况如表 2-8 所示。

表 2-8　某销售团队实施强制型内部竞争提成法情况

团队成员	3 月销售额（万元）	3 月销售额占比	4 月销售额（万元）	4 月销售额占比	4 月与 3 月销售额占比差距
张三	20	2%	60	5%	3%
李四	300	30%	300	25%	-5%
……	……	……	……	……	……
合计	1 000	100%	1 200	100%	

在某年 3 月的时候，这个团队的销售额一共为 1 000 万元。

在整个销售队伍中，张三是新人，他的销售额最低，是 20 万元，占比是 2%；李四是老员工，他的销售额最高，是 300 万元，在团队内部的占比是 30%。

到了 4 月时，这个团队的销售额一共是 1 200 万元，张三的销售额还是最低的，是 60 万元，但占比达到了 5%；李四的销售额还是最高的，还是 300 万元，但占比降到了 25%。

张三在 4 月的销售份额环比提高了，而李四 4 月的销售份额环比降低了。

这时，公司可以增加张三的销售提成比例，减少李四的销售提成比例。

在实际使用这种方法的时候，也可以根据销售额预算来设计销售额的占比。例如张三是这个销售团队的新员工，他实习期满后，刚开始跑业务，李四是这个团队的老员工，他去年平均每月的销售额是 300 万元。

假如根据销售额预算来设计销售额占比，可以在年初时制定这个团队中每个人的销售额预算，因为张三是新人，给他设计的销售额预算可以是每月完成 20 万元业绩，这时按照 1 000 万元的团队总销售额，销售额占比就是 2%。

对于李四，可以给他定 300 万元的月度销售额，按照 1 000 万元的团队总销售额，销售额占比就是 30%。这个销售额占比可以在年初时定下，然后将实际销售额占比与其做比较。

这样能避免团队中的新人没有历史数据的问题，也能体现公司的统一管理。

另外，关于新员工的培养问题，公司可以规定新入职销售人员有半年的学习期，学习期内由老销售人员帮带，这个期间内新员工没有提成。学习期后划分销售区域，新员工独立开展销售业务时，再按照强制型内部竞争提成法计算其提成。

第3章

核心人才薪酬绩效激励设计案例

核心人才是公司的重要资源。如果核心人才流失严重，尤其是一些核心技术人才流失，将给公司造成很大损失。因此公司要重视对核心人才的薪酬设计和激励。

3.1 问题梳理：核心人才流失严重

C 公司是一家技术密集型公司，所在行业是国家重点扶持的高新技术产业。近期，C 公司的技术人才流失比较严重，公司业绩也受到了比较大的影响。为此，C 公司想要找出当前技术人才薪酬绩效设计存在的问题，对核心技术人才实施长久有效的激励措施。

3.1.1 问题背景：权责利的不对等

C 公司向笔者团队提出咨询项目需求时，提到了技术人才的权责利设计、技术人才的奖金设计、通过物质激励留住技术人才等关键需求。

笔者团队在针对 C 公司的核心技术人才问题实施过一轮访谈后，发现 C 公司核心技术人才的离职除了与薪酬上缺乏激励和长久持续发展的效应相关，还与 C 公司权责利分配的不对等有很大关系。

C 公司的核心技术团队采取项目制管理。公司的业务签单需要营销、策划、技术等部门通力合作完成，在跨部门协作时，各部门都不想承担项目中的责任，每个项目都需要花费不少的沟通成本，有时还需要总经理出面统筹。

针对这种情况，总经理制定了责任人制度，针对所有的工作任务和流程都确定了责任人。这个制度原本是好的，但实施一段时间后，员工变得斤斤计较起来，工作中一切都以制度中规定的部门职责为准，缺少变通和协作，出现了许多内耗。

为什么很多公司在实行责任人制度后，还是做不好项目呢?

因为责任人制度只是简单地把很多责任都分给了一个人或一个部门，其他人或其他部门会感到事不关己，认为反正出了问题追究的是那个责任人。

因为没有提前划分责任，没有事先明确谁负责多少、如何负责，所以 C 公司才会出现类似的问题，才会在项目实施过程中经常需要总经理出面协调，而且有时候可能出现总经理都难以协调的局面。

很多人说：“责任一定要落实到人，不落实到人的责任落不了地。”也有很多人说：“如果一件事有一个以上的负责人，等于没有人负责。” 这些话在特定场景下没有错，所以很多人在这类话的影响下，像 C 公司总经理一样，简单划分责任。

如果一项工作前后只需要一个人完成，这样划分权责利当然没问题。可现实是很多工作涉及协作，需要多个部门、多个岗位参与，这时只设置一个人负全责，通常情况下是会出现问题的。

如果从人性的角度解释这个问题，也可以理解成人是有惰性的，都趋向追求最少的能量耗损，所以项目管理中出现消极对待或不合作是常见现象。这些现象在管理不到位的公司的各部门、各岗位工作中都很常见。

人性论的解释实际上是站不住脚的，因为任何公司、任何项目、任何需要人与人之间协作完成的工作都会遇到人性的问题。难道那些管理到位的公司，是因为员工人性比较高尚吗？非也！

那些管理到位的公司，更多是依靠管理手段，避免了人性的负面展示。那些管理不到位的公司，更多是管理能力较弱，不知道如何拆解任务，不知道如何分配任务。另外一点非常重要的原因是，不能很好地分配岗位的权责利。

当然，世界上也许不存在绝对的权责利对等，因为每个人对权责利对等的感觉是不同的，每个人对公平公正的理解也不一样。但即使如此，公司仍应当努力尝试做到权责利对等，或者至少让员工感受到公司在尽力做到岗位权责利对等。

3.1.2　问题模型：权小责大的危害

如果没有这方面的意识，没有刻意寻找，岗位权责利的问题有时难以被察觉和发现。权责利不对等的问题很容易出现，关于权责利不对等的危害，让我们来看一个模型。

有这样一家公司，销售业绩下滑，销售人员离职率高。公司总经理很奇怪：销售人员的提成比例在同行业中已经比较高了，可为什么还留不住人呢？后来，笔者团队发现其中有个重要原因，就是销售团队中存在明显的权责利不对等的问题。

这家公司的销售团队有这样的规则：销售总监有权降价20%，销售经理有权降价10%，销售业务员有权降价5%。

有了这种设置后，会出现什么问题呢？

为了完成业绩目标，所有销售业务员都去找销售总监，要求给自己的客户降价20%。这时，当销售业务员完成业绩目标时，功劳成了谁的呢？成了销售总监的。因为销售总监有权降价，业绩目标才完成了。

当销售业务员完不成业绩目标时，责任成了谁的呢？还是销售总监的。因为销售业务员认为业绩目标完不成是因为销售总监不给自己的客户降价。甚至有销售业务员私下说销售总监给另一个销售业务员的客户降价，不给自己的客户降价，所以自己没完成业绩目标。

销售总监有更大的降价权力，可能引发什么问题呢？

（1）可能引起销售业务员都去找销售总监要求降价。

（2）可能引起客户都不找销售业务员买东西，全部直接找销售总监。

（3）销售总监批准降价与否的依据是个人主观判断，容易引起团队内不公平的问题。

（4）可能出现团队内溜须拍马风气盛行，影响团队氛围。

谁拥有更大的权力，谁就应该承担更大的责任。当然，销售总监本来就对最终的销售结果负责，但如果其牢牢掌握议价权，那么等于销售业务员的权力就小了，但实际管理中销售总监又会对业务员要求严格，等于销售业务员的责任就大了。再加上会有很多客户直接找销售总监购买商品，这样销售业务员的业绩差了，得到的利益也就少了。

案例中这家公司的销售团队中一切问题的根源都在于等级、权限不对等。实际上很多公司都有类似的制度，但不一定有这样的制度，就一定会出现类似的问题。有的公司管理者平时注意去管好这类问题，会避免这类问题爆发。

所以实务中，越来越多公司的销售部门取消了岗位层级对产品价格的影响，改用统一的价格制度。

3.1.3 问题根源：不患寡而患不均

俗话说“不患寡而患不均”。

在一个团队中，如果每个人的奖励都比较少，但能够做到内部公正，那么即使这个团队不能在物质上使员工满足，也能够在精神上让员工感到比较容易接受。

这里需要注意，公正≠公平。公正，常常指的是相对的公正；说起公平，人们却期望是绝对的。相对的公正可以通过努力做到，但绝对的公平是不存在的。

公平是一种比较主观的感觉，每个人的理解都不一样。如果非要给公平找一个大多数人都认可的概念，那可能是一视同仁，或者数量上的平均。

公正和公平不同，它带有明显的价值取向，有统一的标准。按照这个标准，可能每个人得到的结果在数量上是不平均的，也就是不符合传统公平的定义，但却是公正的，给人的感觉反而可能是公平的，或者说是可以被接受的。

如何做到公正呢？

公正是可以通过设置标准和可衡量的价值贡献来实现的。如果什么事都由人的主观意志来判断，则很难做到感官上的公正。如果先由人来定标准，再用标准来评价人，才有可能做到公正。人们在选标准的时候，更有可能不计私利，人们在用标准的时候，也更加可能不偏不倚。

另外，C 公司除高层管理者外，对很多核心人才采取的是月薪制。月薪制难以将核心人才的个人利益和公司的集体利益联系起来，尤其是难以将核心人才的长远利益和公司的长远利益紧密结合在一起。为更好地激励和留住核心人才，笔者团队建议 C 公司对核心人才实施年薪制。

3.2 问题分析：平衡权责利与人才保留经验

每个岗位都有对应的权限、责任和利益，当这 3 项达到平衡状态时，岗位设置是比较合理的状态。每个岗位都有承担岗位职责需要具备的经验，总结和提炼出这些经验，有助于做好管理。

3.2.1 发现问题：权责利分配矩阵

如果某个岗位权限和利益太小，但责任太大，没有人会愿意做这个岗位的工作。这时，岗位上工作的人会频繁离职，而且很难招聘到新的人才。如果岗位权限和利益很大，但责任却很小，那对组织来说是一种资源浪费。这时，很多人都想做这个岗位的工作，在这个岗位上工作的人也会相对比较稳定。

要发现岗位的权责利问题，可以采用岗位权责利问题查找表，如表 3-1 所示。

表 3-1　岗位权责利问题查找表

岗位	当前权限	当前责任	当前利益	当前权责利问题								
				权限过大	权限过小	利益过大	利益过小	责任过大	责任过小	责任重叠	责任错位	……

在发现岗位存在的权责利问题后，可以召集公司中相关人员进行专题研讨。运用岗位权责利问题查找表，理清岗位当前的权限、责任、利益以及权责利对比之后发现的问题。根据当前的权责利问题，讨论后，重新划分岗位的权责利。

要划分清楚岗位的权责利，可以用到权责利分配表，如表 3-2 所示。

表 3-2　权责利分配表

项目贡献占比	任务	姓名 1	姓名 2	姓名 3	姓名 4	姓名 5
	任务 1 责任划分					

续表

项目贡献占比	任务	姓名 1	姓名 2	姓名 3	姓名 4	姓名 5
	任务 1 权限划分					
	任务 1 利益划分					
	任务 2 责任划分					
	任务 2 权限划分					
	任务 2 利益划分					
	任务 3 责任划分					
	任务 3 权限划分					
	任务 3 利益划分					

权责利分配表的“任务”一列，是具体的工作任务或工作目标，这些工作任务或目标最终会指向部门或公司更大的目标。权责利分配表的表头，是相关部门、相关岗位或相关责任人。对纵向上每一个工作任务或工作目标，横向上的岗位可以有对应的权责利划分。

通过权责利分配表来划分权责利，是根据待达成的目标来划分的。这样划分出来的权责利，最终指向具体的任务或目标，更加清晰。在表 3-2 中，不同的部门、岗位或责任人在不同任务或目标中的职责，可以有负责、参与、审批、知悉等。公司可以按照任务目标，明确利益分配的具体比例。

在应用权责利分配表时，可以按照如下步骤进行。

（1）划分工作项目需要的任务，写入权责利分配表的“任务”一列。

（2）划分任务的项目贡献占比。

（3）确定需要参与各项任务的人员，写入权责利分配表的表头。

（4）对不同的任务或目标，划分出负责、参与、审批、知悉等职责，以及责任程度百分比。

（5）划分不同的任务或目标中不同参与人的权限。

（6）根据责任程度百分比，划分利益程度百分比。

权责利分配表的应用示例如表 3-3 所示。

表 3-3　权责利分配表的应用示例

项目贡献占比	任务	张三	李四	王五	赵六	徐七
30%	任务 1 责任划分	负责	参与 程度 30%	协助 程度 5%	协助 程度 5%	协助 程度 10%
	任务 1 权限划分	审批	知悉	知悉	知悉	知悉
	任务 1 利益划分	50%	30%	5%	5%	10%
50%	任务 2 责任划分	参与 程度 20%	负责	参与 程度 20%	协助 程度 10%	协助 程度 10%
	任务 2 权限划分	知悉	审批	知悉	知悉	知悉
	任务 2 利益划分	20%	40%	20%	10%	10%
20%	任务 3 责任划分	协助 程度 5%	协助 程度 5%	负责	协助 程度 10%	参与 程度 20%
	任务 3 权限划分	知悉	知悉	审批	知悉	知悉
	任务 3 利益划分	5%	5%	60%	10%	20%

通过权责利分配表的划分，对于一个具体的任务或目标，由主要负责人负责从整体上推进这项工作。但如果这个任务或目标未达成，并不是由主要负责人负全责，因为还有其他参与的人，这些人也有责任。如果任务或目标达成，也不是主要负责人获得全部收益，而是根据项目人员的参与程度，分配收益。

每个岗位的参与程度、负责程度和利益分配程度，都是匹配的。如果某个任务或目标达成，某个岗位获得的收益占 10%，那么该岗位在项目中的参与程度就是 10%，负责程度也是 10%。该任务或目标的成与败，该岗位都有 10% 的责任。

在任务或目标运行的过程中，负责审批的人一般对这个任务或目标负主要责任，因为其审批决策，在一定程度上决定了这项任务的完成质量。

权责利分配表除了能用在项目制团队中，能不能用在普通组织中呢？

当然可以。权责利分配表并不是为项目制团队而生的。项目制团队是为了一个目标临时组成的团队，刚开始时成员没有权责利划分，用权责利分配表划分权责利比较合适。而很多公司或部门虽然已经是成熟的组织，但实际上也可以用权责利分配表。当然，应用权责利分配表的前提是要具备引领组织机构变化的权限和能力。

3.2.2 应用方法：有效划分权责利

为了帮助C公司有效划分权责利，在C公司项目的启动会议上，笔者团队建议C公司使用权责利分配表。C公司可以在项目开始前，根据项目中的分工情况，划分项目任务，随后划分项目任务的责任程度百分比；在项目启动会的最后，利用权责利分配表，完成对权责利的有效划分。

对于一项任务，在不同参与者权责利百分比应如何设置的问题上，C公司可以让所有参与这个任务的人一起讨论决定。

这时常出现两种情况。一种情况是比较强势、成员普遍对其比较信服的项目负责人可以直接分出权责利百分比，所有参与人可能没有异议；另一种情况是大家对项目负责人分出来的百分比持不同意见，或项目负责人不愿意主动给出百分比建议，这时可以采取投票的方式，每人提出一个百分比建议，然后取平均值。

这里需注意，作为公司的HR，应引导业务部门形成内部决策结果，不要大包大揽，不要在项目启动会上主动站出来安排岗位的权责利百分比，不然可能会引发内部矛盾。人力资源管理虽然属于管理工作，但HR不是业务部门领导，对业务的理解也不如业务部门深刻，要学会引导业务部门自行得到结果，而非代替业务部门做决定。

在C公司项目启动会上形成权责利百分比结果后，项目实际运行过程中，难免会有变化。例如原本预计张三的参与程度为10%，但因为种种原因张三实际没参与进来；李四原本不需要参与，结果实际参与进来了，而且还发挥了比较重要的作用。

出现变化是正常现象，不必过分强调变化本身。对此C公司可以在项目运行过程中安排围绕项目进度的阶段性评估会议。在阶段性评估会议上，权责利分配表是需要拿出来讨论和修改的，项目组应根据实际情况做出修改。

在项目结束的最后一次会议上，除了对项目做总结和复盘，权责利分配表也是必须要讨论确定的项目。项目奖金正是按照项目结束时的权责利分配表来计算的。

采用这种方法后，C公司可以给核心技术人才设置较低的基本工资，让核心技术人才的大部分收入来自项目收益。

例如，C公司有一半以上的项目是新产品开发项目，可以用新产品上市后一年销售额的一定百分比来奖励技术研发团队。新产品从研发成功到最终上市需要1～2年，项目奖励落实也需要1～2年，一旦项目奖金的数额比较大，就具备长期的激励效果和吸引力。

这样安排不仅能激励技术人才，还能有效留住技术人才。因为如果技术人才在项目没有产生收益时就离职了，就拿不到项目收益奖励了。而且项目是源源不断的，其他项目的奖金也会对技术人才产生吸引力，让技术人才不愿意离职。

C公司这样设置权责利还有个好处，就是解决很多技术带头人的技术过硬，但缺乏管理能力的问题。面对这个问题，很多公司的做法是给这类技术人才设置技术成长通道。这确实是方法之一，但如果权责利分配到位，同样能解决这个问题。

C公司可以通过项目制团队分配利益的方式，给有技术、有能力的人才很强的物质激励，而且这里的物质奖励来源于人才做出的成果。

清楚划分权责利往往比设计技术成长通道更优。因为员工达到一定技术等级后，不管其后续有没有为公司创造价值，公司都要按照其所在的技术等级发工资。而按照权责利分配表有效划分权责利，不管其当前的技术等级是什么，公司主要都是为其在团队中的贡献付费。

当公司按照员工的贡献付费，职级就不再起决定作用，而且这样做更公正，也更公平。例如很多技术研发项目负责人实际上做的是行政管理，主要负责项目工作推进、内部沟通、人员管理、资源协调等工作，技术工作参与不多，有时还要兼任其他项目的负责人。而每个项目能否顺利完成，项目中的技术带头人起着至关重要的作用。所以项目中的技术带头人很可能比项目负责人的责任更大、收益更高。很可能一个项目最后有一大部分奖金都是分给技术带头人的，原理就是谁做出的贡献最大，谁就拥有最大的收益。

3.2.3 经验萃取：总结和留存知识

组织能永远留住核心人才或优秀人才吗？

答案是否定的。某个组织可能存在很久，但组织中的人才却可能发生变化。不论某个人才对组织来说有多重要，很多情况下人才的离开是不可避免的。

难道对于核心人才的离职，组织就完全没有办法了吗？

并不是。组织虽然无法永远留住核心人才或优秀人才，但可以做好知识管理，想办法留住这类人才的经验。

经验可以被学习吗？

很多人认为不能，因为经验不同于知识和能力。知识可以通过书本或课程获得，能力可以通过练习获得，但经验必须通过时间积累。所以论重要程度，经验 > 能力 > 知识，经验比能力和知识更有助于人们成长。

实际上，经验能够被学习，但学习经验的方法与学习知识和能力的方法有所不同。要理解这一点，首先要理解什么是经验。

经验指的是工作时间的长短吗？

肯定不是。现实中很多工作30年的人也不见得有什么建树。为什么会这样？

因为很多工作30年的人只是把同一套动作重复做了30年。这不叫有30年经验，这只是工作了30年时间。

那经验到底是什么？

实际上，经验更像是一种异常管理能力。对，经验说到底，也是一种能力。

这是什么意思呢？

以出租车司机这个职业为例。一个人从不会开车，到熟练掌握开车技能，熟悉城市道路（有导航后这一步变容易了），熟记出租车运营规范，成为一名合格的出租车司机，需要多长时间呢？粗略统计，不到 1 年时间就能做到。

但如果乘客可以自由选择出租车司机，老司机肯定比新司机更受欢迎，因为老司机的经验更丰富。这不是什么心理误差效应，事实上老司机普遍意义上就是比新司机靠谱。老司机比新司机多的所谓经验究竟是什么？就是老司机对各类异常状况的应对处理能力。

如果依然难以理解，可以想象这样一个场景。假如有一条没有尽头的路和一辆不需要加油的车，一个出租车司机在这条路上一直往前开，整条路上没有其他车辆，也没有行人，不需要转向，不需要变道，不需要躲闪，不需要避让，也不需要刹车，就一直开，开了 30 年，这个出租车司机就获得了 30 年经验吗？当然不是。

那在什么情况下，这个出租车司机有了经验？就是在正常转弯，忽然冒出一辆闯红灯的电动车时，知道了就算一切正常，也要随时提防；就是在接到了喝醉酒在车上一睡不醒的乘客时，知道了这时可以寻求公安部门的帮助；就是在开快车变道差点出事故时，知道了再怎么样也不能着急。

笔者有次和朋友一起坐飞机，途中遇到气流，飞机颠簸得严重。朋友有些担心，小声问笔者："不会出什么事吧？"

笔者说："你也经常出差，又不是第一次坐飞机，犯得着这么紧张吗？"

朋友说："可我从没遇到过颠簸得这么厉害的情况。"

笔者说："不用担心，晃得比这更厉害的情况我也遇到过，而且看空姐的表情，丝毫不紧张，可见当前状况并不是她们遇到过的最糟糕的。"

经验就是人们经历一个个关键事件，对这些关键事件进行处理后，得出的结论。再回到最初的那个问题：经验可以被学习吗？当然可以，只要懂得萃取经验的方法就可以。

那具体要如何萃取经验呢？

萃取经验可以用访谈的方法：通过向高手提出问题的方式，总结出高手把事情做成功的方法论。提问有 4 个技巧，分别是拆分问题、聚焦到动作、要有佐证和从多个维度提问。

1. 拆分问题

如果目标问题较宏大，例如"如何提高销售业绩"，不要直接问目标问题，而应将目标问题拆分成更具体的问题，例如"您拜访新客户时，会怎么做"。

2. 聚焦到动作

萃取出的经验不要是品格、价值观、理念等比较虚的概念，要落实到具体的行为动作，做到普通人也能复制。

3. 要有佐证

总结出来的具体行为和动作要有多次的事件或对比作为佐证，例如得出"每天打

100 个陌生电话有助于增加新用户”的结论，要有多次这样做后确实增加了新用户的数据，以及跟没有这样做的情况的对比。

4. 从多个维度提问

萃取高手经验时，除了访谈高手本人，还要访谈高手周围的人，还原出高手生活和工作的脉络。不是每个人都具备较强的自我认知能力，通过对高手周围的人进行全方位的访谈，访谈者能够更全面地总结和认识到高手做得好的原因。

例如，当发现一个学霸时，不仅要问学霸本人平时是如何学习的，还可以问学霸的老师、父母、朋友关于学霸平时的学习和生活情况，这样才能完整地还原出学霸学习的脉络。

需要注意的是，萃取经验时提出的问题不应是大而全的，应当将大问题拆分、细化到某个具体场景，提出那些解决某类具体事项的小问题。

掌握萃取经验的方法，有助于快速提取并学习到优秀经验的精髓。

3.2.4　年薪转化：应用特点和条件

年薪制是根据公司业绩和个人绩效，以年度为单位，支付劳动者薪酬的分配方式。采用年薪制的目的是把人才的个人利益与组织的集体利益联系起来，让人才与组织发展的目标一致。年薪制因为对人才有较远期的激励和约束作用，被广泛应用在很多公司的薪酬设计中。

与其他的薪酬模式相比，年薪制在功能上具有激励性和约束性并存、公平性和效率性并存、制度性和规范性并存的特点。

实行年薪制，收入与绩效的关联性较强，既能使人才得到较强的激励，又能体现一定的责任感和压力，是责任、收益和风险的统一；既能提供具有一定挑战性的劳动机会，又能提供获得较高薪酬的机会，体现了公平和效率的统一；既有特定制度的约束，又有标准规范的约束，体现了制度和规范的统一。

年薪制的优点主要包括如下几点。

1. 绩效导向

年薪制把公司的经营业绩、岗位的工作业绩和劳动者的个人所得更加紧密地联系在了一起，实现个人目标和组织目标的统一。年薪制就像是一份委托代理合约，对公司和人才之间的雇佣关系赋予了一层委托人和被委托人之间的委托代理关系。

2. 面向未来

在传统薪酬模式中，人才的收益是对过去的总结。而年薪制中，人才的收益在很大程度上是对未来的展望。年薪制是根据公司对未来经营情况的预期而制定的，把公司未来的状况与人才未来的收益进行绑定。

3. 抑制腐败

将公司长远发展与人才个人收益紧密结合在一起后，人才对公司的归属感和责任感会大大增强，对不利于公司的行为的容忍度将变低。这对公司管理过程中的腐败问题将产生积极的预防作用。

年薪制的缺点主要包括如下几点。

1. 可能的短视行为

如果公司在实施年薪制的过程中没有注意采取有效的长期激励，则有可能无法激发人才的长期行为。人才可能会为了个人利益，追求短期的高收益，而做出损害公司长远利益的行为，或者放弃有利于公司长远发展的决策。

2. 可能的收入减少

相对于传统旱涝保收式的薪酬模式，年薪制对应的收入存在较大的不确定性。有时候公司的经营情况受外部因素的影响较大，即便人才主观上已经付出了较大努力，但是经营业绩却与预期差异较大，可能导致人才的收入骤减。

3. 可能的针对性弱

一般来说，年薪制在公司中的应用主要集中在人数较少的管理人才或核心人才。这些人才往往本身就具备较高的素质，采用年薪制后他们能够得到一定的激励。然而，公司中更需要这种激励的人才往往集中在一线。年薪制的优势反而难以覆盖到这类人才。

即便年薪制有许多优点，要在一个没有实施过年薪制的公司实施，也不是拿来即用。公司要有效实施年薪制，还需要具备一定的实施条件。

1. 配套的管理体系

实施年薪制，必须要有一套相对完善的绩效指标制定和评价体系。

公司要具备准确预估自身经营状况和岗位贡献情况的能力，需要形成一套科学、严谨的绩效指标确立、修改和评估的闭环管理体系。绩效指标要全面反映公司的经营状况，才能为后续判断人才的浮动收入提供有力依据。

另外，对于年薪制中固定收入的制定和判断，以及固定收入加浮动收入后达到的最低值和最高值的参考，还需要一套相对完善的薪酬管理体系做支撑。薪酬管理体系至少要做到能够匹配公司的战略，能够评估外部劳动力市场状况，以及能够平衡内部的薪酬支付，使薪酬具备基本的竞争性和公平性。

2. 必要的宣传教育

任何一项制度的推行都免不了要实施宣传和教育。如果公司中将被实行年薪制的人员对年薪制没概念，不清楚年薪制的薪酬设置，不清楚自己达到什么标准能拿到多少浮动薪酬，体会不到年薪制的激励作用，那么，公司应当给予这部分员工必要的宣传教育。

宣传教育不仅体现在对将被实施年薪制的人才的“扫盲”上，还可以用来向员工传递正确的薪酬观。公司可以通过在薪酬方面的宣传和教育，让员工认识到自身薪酬的组成、来源、确立过程以及高低差异的原因或规则，体现公司薪酬管理的相对透明和公正性。

3. 一定的管理能力

薪酬要体现激励性，可不专业的薪酬政策，不但不能体现激励性，反而会产生许多负面效应。主持设计和实施年薪制的团队中需要有较专业的人力资源管理专家，其要具备薪酬管理能力和实战经验。

年薪制中的固定薪酬和浮动薪酬之间的比例关系，浮动薪酬中短期激励和长期激励之间的比例关系，长短期激励中具体项目选择以及股权激励的实施等，这些实施年薪制的必备事项，需要具备专业能力和实操经验的人才或团队引导公司稳步操作。

3.3 解决方案：核心岗位薪酬设计

对核心岗位的薪酬设计除了要考虑外部竞争性和内部公平性，还要考虑对这类岗位人才的激励和保留。在核心岗位的薪酬设计方面，应尽可能通过短期物质激励给予核心人才即时的奖励，通过长期物质激励将其更长久地留在公司中。

3.3.1 三种类型：核心人才薪酬设计

核心人才是组织长久发展的核心动力。按照对技能工资、项目奖金或绩效奖金重视程度的不同，可以把技术人才的薪酬类型分成 3 类。

1. 技能驱动型

核心人才薪酬类型为技能驱动型的公司更重视核心人才的能力发展，专业技能水平是确定核心人才薪酬水平的重要因素。如果公司中有部分核心人才的职责、绩效和贡献难以量化，可以考虑采用这种方法。在这种薪酬类型中，技能工资在核心人才的薪酬结构中占比较高。

这种方法的原理是根据核心人才的专业技术水平，划分出类似岗位的专业技术等级，不同的专业技术等级对应不同的薪酬水平。所有核心人才的职业发展和薪酬都对应其专业技术等级，如表 3-4 所示。

表 3-4　核心人才技能驱动型薪酬举例

专业技术等级	A 类岗位薪酬（元 / 月）	B 类岗位薪酬（元 / 月）	C 类岗位薪酬（元 / 月）
专业技术等级 5 级	60 000	55 000	50 000

续表

岗位类型 专业技术等级	A 类岗位 （元 / 月）	B 类岗位 （元 / 月）	C 类岗位 （元 / 月）
专业技术等级 4 级	50 000	45 000	40 000
专业技术等级 3 级	40 000	35 000	30 000
专业技术等级 2 级	30 000	25 000	20 000
专业技术等级 1 级	20 000	15 000	10 000

表 3-4 是根据专业职务、技术水平等因素将专业技术等级划分成 5 个等级，根据岗位的重要性和贡献度将岗位划分为 A、B、C 三个类型。专业技术等级不同，岗位类型不同，薪酬水平也不同。

2. 创新驱动型

核心人才薪酬类型为创新驱动型的公司更重视核心人才的创新，创新的结果是确定核心人才薪酬水平的重要因素。如果公司非常重视创新，团队的创新能够被相对客观地衡量，可以采用这种方法。在这种薪酬类型中，通常项目（创新项目）奖金在核心人才的薪酬结构中占比较高。

这种方法通常先由公司确立不同的研发或创新项目，每个项目由不同数量的核心人才负责，根据项目开发的成果交付情况，给予核心人才不同的项目奖励。项目奖励方式如表 3-5 所示。

表 3-5　核心人才创新驱动型薪酬举例

项目类型	项目完成结果 A 对应的奖金（元）	项目完成结果 B 对应的奖金（元）	项目完成结果 C 对应的奖金（元）	项目完成结果 D 对应的奖金（元）
A 类项目	100 000	60 000	40 000	0
B 类项目	80 000	50 000	30 000	0
C 类项目	60 000	30 000	20 000	0
D 类项目	40 000	20 000	10 000	0

表 3-5 是根据项目的难易程度、贡献程度和重要性等因素，将全公司的项目类型分成 A、B、C、D4 类；根据项目完成的及时性、完整性、符合性等因素，将项目完成情况划分为 A、B、C、D4 类结果，其中 A 类为项目完成情况最优，D 类为项目未完成或完成情况与预期严重不符。项目类型不同，完成结果不同，对应的项目奖金也不同。

3. 价值驱动型

核心人才薪酬类型为价值驱动型的公司更重视核心人才创新后的价值结果，有的公司直接将其定义为相关产品的销售业绩或利润。如果公司非常重视经营业绩，可以采用这种方法。在这种薪酬类型中，通常绩效奖金 / 提成在核心人才的薪酬结构中占比较高。

这种方法的常见操作方式是直接根据团队、项目或人才对应的产品销售额区分绩效奖金 / 提成的计提比例，如表 3-6 所示。

表 3-6　核心人才价值驱动型薪酬举例

项目产品对应销售额情况	项目团队绩效奖金 / 提成的计提比例
600 万元以上	2%
301 万 ~ 600 万元	1.5%
100 万 ~ 300 万元	1%

表 3-6 是根据项目产品对应的销售额情况，划分为 100 万 ~ 300 万元、301 万 ~ 600 万元、600 万元以上 3 个层级，随着销售额的增长，每个层级对应给项目团队的绩效奖金 / 提成的计提比例分别为 1%、1.5%、2%。

3.3.2　三大组成：年薪制构成和模式

最初的年薪制通常适用于那些对公司经营业绩责任和影响较大，或具备公司的实际经营权，但没有或只是小部分享有公司所有权的人员。例如公司的高级管理人员、核心技术人才以及个别关键岗位的对公司经营业绩有较大影响的人才。

但随着经营管理的演变，组织扁平化、组织平台化、组织权限下沉等理念的实践，公司中薪酬模式为年薪制的人员范围越来越广，已经逐渐扩散到许多中层管理者或某些特殊岗位的基层员工身上，有些公司甚至实行全员年薪制。从达成目标的角度看，全员年薪制也未尝不可。

年薪制下薪酬的构成要素可以分成 3 个主要部分：一部分是相对固定的收入 A，另一部分是短期激励的浮动收入 B，还有一部分是长期激励的收入 C。

A 部分是保证人才家庭和个人基本生活的费用，一般以月度为单位发放。当然 A 部分也不是一成不变的，应随着物价水平、劳动力市场状况、职级调整、工作年限或公司整体薪酬水平的变化而变化。

B 部分一般是对 1 个季度到 2 年这类相对短期的经营业绩和绩效成果的奖励（周期通常为 1 年左右），一般以季度或年度为单位发放。根据绩效状况，B 部分的发放金额可能达到预期，可能超过预期，也可能为零。

C 部分是鼓励人才更长久地为公司做出贡献，是把公司的发展和人才的个人发展绑定在一起的方式。C 部分一般由公司和人才双方确定后，3 ~ 5 年后（较远期）兑现。C 部分能有效防止管理者为了追求短期利益而做出的一些杀鸡取卵式的决策和短期行为。

年薪制常见的薪酬类目如表 3-7 所示。

表 3–7　年薪制常见的薪酬类目

类目	包含内容
A 部分 （相对固定的收入）	固定工资 固定福利 固定津贴
B 部分 （短期激励）	季度奖金 年终奖金 绩效提成 特殊福利
C 部分 （长期激励）	股权激励 合伙人制度 长期现金 长期福利

对于管理层来说：管理层级越高，其决策对公司发展影响越深远的管理者，C 部分在其薪酬结构中的占比应越高；管理层级越低，A 部分在其薪酬结构中的占比一般会越高。对于非管理层来说，对公司发展越重要的核心人才，C 部分在其薪酬结构中的占比应越高。

岗位不同、职务不同、层级不同，各部分的薪酬占比也不相同。但需注意，年薪制的属性决定了它本身就是一种减少固定收入、增加浮动收入的模式。既然采取年薪制，原则和趋势上，就应当减少 A 部分的占比，增加 B 部分或 C 部分的占比。

不同类型公司采取的年薪制的差异较大，常见的有准公务员模式、一揽子模式、非持股多元化模式、持股多元化模式、虚拟持股多元化模式 5 种类型。这 5 种年薪制模式的适用领域、薪酬结构和激励作用如表 3–8 所示。

表 3–8　年薪制常见的 5 种模式

特点	准公务员模式	一揽子模式	非持股多元化模式	持股多元化模式	虚拟持股多元化模式
适用对象	公司高级管理人员，尤其是临近退休的高级管理人员	通常是某公司或事业部的最高经营管理者	公司的中高级管理人员，关键岗位人才		
适合公司	大型国有公司或对国民经济有特殊战略意义的大型集团公司或其控股公司	期望快速发展的公司，或者面临特殊问题的公司	所有公司	股份制公司	所有公司

续表

特点	准公务员模式	一揽子模式	非持股多元化模式	持股多元化模式	虚拟持股多元化模式
薪酬结构	A+C（相对固定的收入＋养老金计划）	B（固定数量的年终奖金）	A+B（相对固定的收入＋短期激励）	A+B+C（相对固定的收入＋短期激励＋长期激励）	A+B+C（相对固定的收入＋短期激励＋长期激励）
激励作用	稳定的生活保障以及退休后高水平的退休金保障，一定程度上约束管理者的短期行为	承包式的激励。激励作用较大，但可能引发短期行为。激励作用的有效性发挥很大程度上取决于考核指标的科学选择和准确真实的判断	将绩效与薪酬直接挂钩，相对传统薪酬模式更具激励性。但缺少激励长期行为的类目，可能引发人才的短期行为，影响公司长期发展	理论上比较有效，形式可以灵活多样，兼顾短期和长期，股票升值可能会使人才获得大额财富。但是实施条件相对较苛刻	把股权的概念引入非上市公司甚至非股份制公司中。利用虚拟的股权机构，让人才享受股权分配权，满足人才长期发展的需要

准公务员模式的考核指标一般是公司当年的业绩目标是否达成。一揽子模式的考核指标通常是十分明确的一项或几项指标，例如获取利润、增加销售、减少亏损、提高资产利润率等。

非持股多元化模式、持股多元化模式和虚拟持股多元化模式是最多公司采取的，最常见的年薪制模式。三者之间的不同主要体现在长期激励的操作方面。

持股多元化模式中的股权可以是直接持股，也可以限制性股票或股票期权。虚拟持股多元化模式中的股权，指的是虚拟股权，可以是虚拟股票、年薪虚股，也可以是账面价值增值权和股票增值权。

当然，持股多元化模式和虚拟持股多元化模式对长期激励的落实并不应仅围绕在字面上的“股”上，而应围绕在“多元”上，应采取更加多种多样的长期激励模式，例如多元化的长期福利，或参考准公务员模式中的养老金计划。

非持股多元化模式、持股多元化模式和虚拟持股多元化模式都是根据公司战略和岗位特点制定的。

3.3.3 长期激励：长久留住核心人才

长期激励是组织为了保障核心人才能够长期留在组织，能够与组织共同成长发展，达成组织的长远目标，而对核心人员采取的一种激励方式。相比于短期激励的时间周期，长期激励的时间一般在 3 年及以上。

常见的长期激励形式有 4 种，分别是股权激励计划、合伙人制度、长期现金计划和长期福利计划。这 4 种长期激励形式的原理类似，一般都是与人才约定，到了某个时间节点，当公司达到某个目标或达到某种效益的时候，按照不同的形式，给予人才某种奖励。

当公司的财务状况较好，资金比较充裕的时候，对核心人才实施的长期激励可以主要采取长期现金计划和长期福利计划。当公司财务状况较差，资金有限的时候，对部分核心人才可以主要采取股权激励计划和合伙人制度。

股权激励计划和合伙人制度应用比较广泛，接下来重点介绍这两种长期激励方式。

股权激励计划可以创造组织和个人的利益共同体、激发员工的内在驱动力、有效地吸引和留住人才。尤其是创业公司，在早期无力吸引和留住高端人才以及支付高薪时，股权激励计划可以有效缓解这一问题。

常见的股权激励计划模式有 7 种。

1. 限制性股票

限制性股票是指事先给激励对象一定数量的股票，但对这部分股票的获得条件和出售条件等会有一定的限制。例如，激励对象只有在本组织服务满 5 年，才能获得这部分股票；5 年后公司的经营业绩提升一倍，激励对象才可以卖出这些股票变现。

2. 虚拟股票

虚拟股票是向激励对象发放虚拟股票，事先约定如果公司业绩较优或实现某个目标时，激励对象可以按此获得一定比例的分红。虚拟股票不属于法律意义上的股权激励，不具备实际的所有权，不能转让或出售，通常也不具备表决权。

3. 年薪虚股制

年薪虚股制是将公司中高端人才年薪中的奖金划分一部分以虚拟股票的形式体现，规定激励对象一定的持有期限，到期后，按照公司业绩一次性或分批兑现。这种方式会将激励对象和公司的利益捆绑，将收益的时间线拉长。

4. 股票期权

股票期权是指公司给激励对象一种权利，让其可以在规定的时期内以事先约定的价格购买一定数量的本公司流通股票。当然如果到了规定时期，激励对象发现行权并不合适，也可以选择不行权。

5. 直接持股

直接持股是当激励对象达到某项条件时，公司直接转让股票，激励对象在股价提高或降低时，获得账面价值的增长或减少；在股票溢价卖出时，获得收益。转让的方式可以是直接赠与，可以是公司补贴购买，也可以是激励对象自行购买。

6. 账面价值增值权

账面价值增值权是公司给激励对象一种权利，让其在期初按照每股净资产购买一定数量的公司股份，在期末时，再按照每股净资产的期末值回售给公司。在实务中可以有两种操作方式：一种是激励对象真实购买；另一种是虚拟购买，过程中激励对象甚至不需要支付资金，期末由公司直接根据每股净资产的增量计算收益。

7. 股票增值权

与账面价值增值权的道理类似，通过股票增值权的方式，激励对象可以从期初认购股票的价格与期末股票市价之间的增值部分中获益。当然，为了避免股票价值降低的风险，采用这种方式时，激励对象并非实际购买股票，而是获得了这部分股票增值后的收益权。

合伙人制度在激励效果上好于股权激励计划，但通常激励对象的范围比股权激励计划小。合伙人制度中的合伙人要谨慎选取。一般来说，对于有持续资源支持的创业元老、公司关键位置的少数高层管理者、掌握核心技术的关键人才可以考虑运用合伙人制度。

合伙人制度是指由两个或两个以上的合伙人拥有公司，共享公司的经营成果，共担公司的经营风险的制度。合伙人制度中的合伙人是公司的股东，可以参与公司的经营，也可以仅出资，不参与公司经营。

成为公司的合伙人后，在一定程度上意味着成为公司的所有者。合伙人的组成规模没有限制，对当前员工实施合伙人制度，一般目的是充分激发部分核心人才的积极性，并有效留住这些核心人才。

1. 普通合伙人（General Partner，GP）

普通合伙人的模式适用于合伙制公司或有限合伙公司。普通合伙人对公司的经营承担责任，对公司的债务承担无限责任。

2. 有限合伙人（Limited Partner，LP）

有限合伙人的模式适用于有限合伙公司。有限合伙人根据其出资比例，承担有限的责任。有限合伙人相当于投资人，不能代表公司，没有重大的决策权。

3. 增值合伙人（Operator Partner，OP）

增值合伙人制度适用于有限责任公司。增值合伙人不承担公司的经营风险，但需要承担经营责任，保证公司达到经营目标。增值合伙人可以根据价值进行多次利益分配，拥有晋级制度和灵活退出机制。对增值合伙人的选拔注重其拥有的人际关系、价值或资源。

第4章
薪酬方案整体规划设计案例

薪酬问题是困扰很多公司的问题，很多劳资矛盾都源自薪酬设计不合理。员工想要获得更多薪酬，公司却期望用最低的成本，创造最大的价值。很多薪酬管理人员夹在中间两面为难。如何设计薪酬方案，才能既让员工满意，又让公司满意呢？

4.1 问题梳理："不思进取"的薪酬体系

D 公司是一家历史悠久的国有公司。随着市场经济的发展，为激励内部团队，激活团队的执行力，D 公司逐渐转变为一家国有控股、员工持股的公司。

然而 D 公司体制的转变更多是在顶层设计方面提高了持股员工的积极性，对非持股员工积极性的提高效果并不明显。

同时，D 公司的薪酬制度仍然沿用 20 多年前的框架，中途只有小修小补，其中有很多不合理之处。针对 D 公司现状，笔者建议 D 公司彻底梳理薪酬问题，重新设计薪酬体系。

4.1.1 问题背景：失败的不变与变化

不同公司的薪酬模式各式各样，千差万别，很难简单地判断孰优孰劣。但其中有一些模式是明显违背激励原则甚至对公司有害的，很多公司基于惯性，在持续运行着这类错误的薪酬模式。D 公司管理层已经发现了本公司薪酬模式的诸多问题，于是找到了笔者团队。

D 公司向笔者团队提出咨询项目需求时，提到了薪酬体系设计、薪酬方案设计、宽带薪酬设计等关键需求。笔者团队在对 D 公司的薪酬模式实施调研后，发现不少问题，这些问题很多是 D 公司长期不变的薪酬模式造成的。

例如看似公平的同岗同薪制和同级同薪制。

所谓同岗同薪制，就是岗位相同的两名员工，薪酬水平是相同的。同岗同薪制用于新入职员工通常被认为是正确的。但在 D 公司，同样是技术研发岗位，张三有 5 年经验，李四是新员工，两人的薪酬除司龄工资外几乎相同。

所谓同级同薪制，就是职级相同的两名员工，薪酬水平是相同的。同级同薪制用于相同岗位的员工通常被认为是正确的。但在 D 公司，王五是拥有 10 年经验的技术研发主管，赵六是拥有两年经验的人力资源主管。因为王五和赵六职级相同，两人的薪酬水平几乎是相同的。

相同的岗位，从组织层面的设计来讲是一样的。可当岗位有了具体的、不同的人才来从事的时候，对组织来说，这些人才的绩效、贡献和创造的价值是不同的。绩效有高有低，贡献有大有小。如果他们拿的薪酬一样，高绩效、高贡献的人心里一定会不平衡，这是因为忽略了个体价值的差异。

相同的职级，因为岗位不同，对组织的重要性是不同的。有的岗位对组织比较重要，这类岗位能够为组织创造的价值下限比较高，上限更高；有的岗位则相对别的岗位对组织的价值不高，就算从事这类岗位的人能力很强，但因为岗位限制，价值的上限可能并不高。如果组织给相同职级岗位的薪酬相同，就忽略了岗位价值的差异。

薪酬体系设计不能简单地基于岗位或职级，还要基于价值和贡献，既要考虑个体价值的差异，又要考虑岗位价值的差异。

另外，D 公司虽然有绩效考核，但考核大多流于形式。年底全员的考核成绩都在 80 分到 95 分，考核结果并没有对收入产生实质性影响，员工的收入差距较小。很多员工对薪酬的感觉是旱涝保收。

多年不变的薪酬模式给 D 公司的经营管理造成了困扰。为此 D 公司也在不断尝试改变，然而改变的结果不尽如人意。

例如 D 公司前些年推行绩效考核，将员工当前的固定工资直接转变为绩效工资。大致情况是，之前张三的固定工资是 6 000 元 / 月，实施绩效考核后，张三每月的固定工资变为 3 000 元，另外的 3 000 元是绩效工资。

对于这样的变化，员工很反感。因为月度绩效考核很难拿到满分，只要不是满分，员工就拿不到全部的绩效工资，相当于员工每月的工资减少了。这是变相降工资，员工当然不乐意。

如果想给员工设置月度绩效工资，参考做法是随着员工涨工资，用员工上涨的工资作为每月的绩效工资。例如张三涨了 800 元的月工资，把张三原来 6 000 元的月工资作为基本工资，把上涨的 800 元作为每月的绩效工资，用于每月的绩效考核。

此外，D 公司设置绩效工资时，还将多数岗位的绩效工资设置为基本工资的一倍。这种做法也是有问题的，原因有 3 个。

（1）不同岗位和职级对公司的价值和贡献度是不一样的，责任大小也不同。

（2）不同岗位和职级的绩效评价的方式和标准是不同的。

（3）有些岗位的绩效评价很难做到详细、客观，例如行政文员、保安、后勤人员等。这类岗位的绩效评价难免存在一些主观判断，不宜让绩效工资占总薪酬的比重过大。

总之，D 公司常年不变的薪酬模式已经不能匹配当前的经营发展，变动后的薪酬模式又没有取得成功。

4.1.2 问题模型：推演预测提前发现

D 公司薪酬体系的典型问题有很多，很难用一个简单的模型来全部说明。实际上，这些问题在制定薪酬模式之初是可以通过推演和预测提前发现的。这里举个比较典型的例子——无限制的司龄工资。

改革开放以来，我国经济飞速发展，很多原本在体制内工作的人选择离开工作岗位，迫不及待地开始创业。这让不少原本以工作稳定著称的国有公司面临人才流失的危机。

许多国有公司为了降低员工离职率，提高员工忠诚度，表达对老员工的认可，设置了无限制的司龄工资。

这种司龄工资的特点是从员工入职的那一刻开始算起，每服务满一年，工资就会增加一部分。这种看起来很好的薪酬模式，从长远看，不仅让公司付出了额外的成本，而且无效。

例如，D 公司刚入职保安张三的基本工资是 3 000 元 / 月，工作满一年后司龄工资是 100 元 / 月，以后每年增加 100 元。张三在 D 公司工作了 30 年，司龄工资达到了 3 000 元 / 月，和基本工资的比例达到了 1 ∶ 1。注意，这里只是选择保安岗位简化说明原理，没有考虑年限增长带来的基本工资变化，而且将年限拉长为 30 年。

3 000 元的月基本工资 +3 000 元的月司龄工资 =6 000 元的月工资。

这时，新入职了一位年富力强的保安李四，基本工资是 3 000 元 / 月。李四创造的价值会比张三创造的价值少吗？事实上，在正常履行职责的前提下，二者为 D 公司创造的价值不会有太大差别，而且有可能年富力强的新人李四会比老员工张三更加认真负责。

另外，张三会时刻想着自己每月的工资是 3 000 元，而另外的 3 000 元是公司对自己长期服务的奖励吗？恐怕不会，张三会认为自己每月的工资就“应该”是 6 000 元。这种司龄工资的增加，让组织增加了成本，却并没有达到预期的效果。

根据二八法则，在一个相对健康的组织中，那些态度好、能力强、绩效优的员工，通常不是得到了职级提升的机会，就是得到了涨薪的机会，这部分人大约只占组织总人数的 20%；而那些剩下的，相对平庸的员工往往具备较强的市场替代性，这部分人约占总人数的 80%。

如果司龄工资每年增长，直接的后果是平庸员工的人力成本不断上升。这些员工可能听话，却无法做出较大的贡献。

那么，已经有无限制司龄工资的组织，该如何改变呢？

可选的改变方式有以下几种。

（1）彻底废除司龄工资，按照绩效、价值或贡献结果做薪酬调整。

（2）对长期服务的员工，以荣誉、福利或适当奖励的形式体现认可。当然，建议不需要奖励所有的员工，而是奖励优秀的员工。例如，在年会上设置一个针对 10 年以上司龄员工的“特殊贡献奖”，由公司高层管理者颁奖和表彰，并发放精美的奖杯和奖品。

（3）如果领导层坚持要保留司龄工资，可以给司龄工资设置上限，同时采取逐渐递减制，金额不宜过大。例如司龄工资最高加到 10 年，第一年加 100 元，第二年加 90 元，第三年加 80 元……10 年之后就不再增加司龄工资。

很多短时间看有利的制度，长时间看则可能是有害的。其实，如果在制度设计前做好推演和预测，是可以避免制度推出后造成的负面影响的。

4.1.3 问题根源：故步自封导致失败

D 公司薪酬体系中有很多遗留问题，很多机制是在不同的公司经营阶段，为解决某类特定问题，而采取的权宜之计。随着时代的发展和情境的变化，很多在当时看起来有效的机制如今却变成了制约公司发展的因素。

任何薪酬制度都不可能一劳永逸，当环境发生变化，公司对薪酬制度的需求也将发生变化。如果故步自封，安于现状，抗拒变化，则可能爆发出各类问题。要解决问题，D 公司应采取符合自身当前需求的薪酬制度，设计出适合自身的薪酬体系。

薪酬体系的变化一般有两种：一种是突破性的变化，一种是渐进性的变化。

1. 突破性的变化

突破性的薪酬变化指的是周期短、范围广、力度深的薪酬模式变化。这种变化模式通常来源于公司的拥有者或最高管理层，例如公司的实际控制人、大股东、总经理。有了最高管理层的发起并绝对支持和信任，薪酬管理小组才有可能推动突破性的变化。

突破性薪酬变化的优点是：变化力度较大，可以借机改变许多根深蒂固的旧做法；耗费周期短，能够在较短时间内改变公司的管理系统；涉及范围广，可以覆盖公司的全体员工。

突破性薪酬变化的缺点是变化的难度较大，进而带来变化的风险增加。薪酬管理小组可能很难真正说服全员在短时间内接受一套全新的薪酬管理理念和方法，尤其是当部分人的既得利益受到威胁时。

2. 渐进性的变化

渐进性的薪酬变化指的是周期长、范围小、由易到难的薪酬模式变化。这种变化模式通常会先从比较容易的领域开始，分领域、分模块、分周期地在公司范围内逐渐推进、有序实施。

渐进性薪酬变化的优点是留足了缓冲的空间，能够把薪酬管理变化给员工带来的不适感和挫折感等负面影响降到最低。即便过程中，薪酬变化方案有一些失败之处，也可以及时调整和弥补。

渐进性薪酬变化的缺点是耗费的周期通常会比较长，时间跨度可能在 3 到 5 年。对于一些变化较快的公司来说，也许这轮薪酬变化还没有完成，内外部环境已发生变化，又要开始下一轮的薪酬变化。另外，渐进性薪酬变化因为要缩小变化的范围，在实施过程中可能会带来内部的不公平感。

因为得到了 D 公司高层管理者的支持，笔者团队对 D 公司采取的是突破性的薪酬变化。整个项目周期为 3 个月，试运行 1 年。在新的薪酬模式试运行期间，发现问题后及时调整。

4.2 问题分析：薪酬体系实施和方案设计

D 公司需要设计薪酬方案，需要制定薪酬管理制度，需要改变薪酬管理体系。采取何种薪酬方案，如何制定薪酬管理制度，如何设计薪酬管理体系，关系着 D 公司新的薪酬管理体系能否有效落地和实施。

4.2.1 首尾兼顾：方案设计三注意

公司在设计薪酬方案时，需要注意薪酬方案设计策略的选择、薪酬体系的设计、薪酬方案的实施等要素以保证薪酬管理的有效性。除此之外，还需要特别注意 3 点。

1. 顶层设计：符合公司战略

薪酬方案应紧密联系公司战略，这就要求公司在制定薪酬方案时一定要明确自身的发展战略。明确了战略，薪酬方案才能有针对性地解决具体的问题。公司是不断发展变化的，常常因时而异、因势而异，所以公司的薪酬方案也应是贴合战略，随情况不断发展变化的。

薪酬方案符合战略，也是薪酬管理满足公司需要的核心能力的体现。公司需要的核心能力是能够让公司在市场竞争中处于优势地位的关键能力。公司中的员工越具备这类能力，公司的核心竞争力就越强。薪酬方案应具备能力偏向的导向性，鼓励员工发展和提高这类能力。

2. 下接地气：符合员工需求

因为薪酬方案具备承接薪酬管理体系的特性，所以薪酬方案同样应体现薪酬的外部竞争性和内部公平性。即达到同类岗位、同等能力、绩效水平相同的情况下，员工内部的薪酬水平应保持一致，同时与外部市场的薪酬水平比较，应符合公司的薪酬战略定位。

员工在不同阶段，需求是不同的。公司应综合评估员工的不同需求，在充分考虑不同岗位和层级员工需求的基础上，制定有针对性的、尽可能满足员工不同类型需求的薪酬方案。当薪酬方案能最大限度地满足员工需求时，能够有效留住人才，减少人才流失。

3. 实施有道：不要操之过急

重要方案的制定过程应当是一个不断探讨、调整和完善的过程。公司在制定薪酬方案时，不要抱着一蹴而就的预期。在方案制定和实施过程中遇到困难时，不要强行推进，可以停下来审视问题，找到源头。强行实施一个不适合公司的薪酬方案，还不如不实施。

同时需注意，由于公司中每个人的教育背景、所处立场存在差异，任何方案都不可能做到令所有人满意。一个薪酬方案能做到让公司中 80% 以上的人满意就已经比较成功了。这时，虽然还需要继续调整和完善方案，但不必过分严苛，不必追求完美。

4.2.2　实施准备：薪酬方案正式实施前的四环节

薪酬方案的实施准备工作可以分成 4 个环节，分别是薪酬测算、宣导培训、实施过渡、修正完善。

1. 薪酬测算

薪酬测算是根据内部薪酬预算的情况和市场调研的数据，比较后测算出公司每名员工的薪酬数据，即包括月基本工资、津贴费用、月标准奖金、季度年金、年终奖金、福利费用等各项薪酬组成的具体金额。

2. 宣导培训

公司可以通过员工培训、宣传活动、座谈活动或利用工会的职工代表大会等各类形式，将薪酬变革的思路、理念、方法以及变革对员工的影响如实地传达给员工，以最大限度地争取员工的理解和支持。

3. 实施过渡

在正式实施新的薪酬管理系统之前，新旧薪酬管理系统可以并轨运行。有的公司会用 1 到 2 年的时间完成新旧薪酬管理系统的转换，在此过渡过程中员工的薪酬“就高不就低”。这样做的好处是能够让员工保持平稳的心态，给员工一个适应和接受的过程。

4. 修正完善

在前面 3 步完成之后，公司可能会发现薪酬管理体系会存在一些不适宜的问题。这时实施薪酬管理变革的相关工作人员应及时、有针对性地分析这些问题修正的必要性，争取在过渡期之内，对应当修正的问题及时修正。

过渡期结束后，若员工们没有明显的排斥反应，没有出现明显不符合预期的情况，过程中暴露出的问题也得到了及时的修正。那么，薪酬方案可以进入正式实施阶段。

4.2.3　方案设计策略：设计思路五步走

根据薪酬方案实施准备工作的 4 个环节，薪酬方案设计的整体思路可以概括为 5 步。

（1）了解公司的总体发展战略。

（2）承接公司发展战略，制定人力资源管理策略。

（3）通过人力资源管理策略，制定薪酬方案设计策略。

（4）通过薪酬方案设计策略，实施薪酬方案设计。

（5）根据薪酬方案，编制薪酬管理制度。

薪酬方案设计思路 5 个步骤如图 4-1 所示。

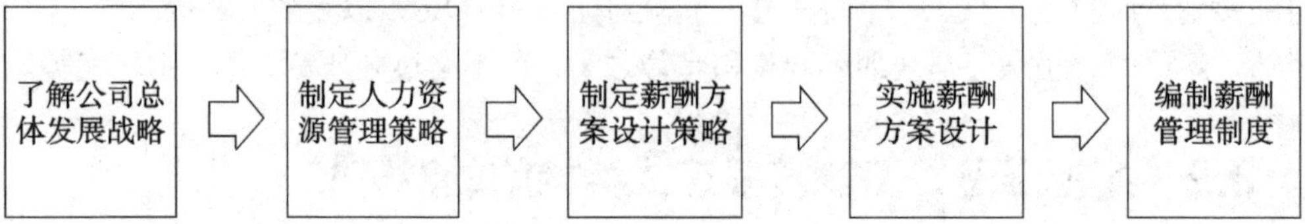

图 4-1　薪酬方案设计思路示意图

整个薪酬方案的设计过程，应以公司战略为依据，以现代薪酬理念为指导，以机构和岗位优化为基础，着眼于薪酬制度的创新，立足于解决实际问题，系统设计，配套实施，形成分配激励机制，实现调动经营者和其他员工积极性、创造性的目标。

薪酬方案的设计是一个系统的工程，应从公司战略出发、从人力资源管理体系出发以及从薪酬管理的整套系统出发，过程中要以工作分析为前提，以薪酬分配为主体，以绩效管理为依据，与公司的其他改革相匹配。

实施薪酬方案设计前，需要综合考虑、分析和判断的因素包括以下几点。

（1）公司产权的改革情况。

（2）公司生产经营的特点。

（3）公司的经营环境。

（4）公司的经济效益。

（5）公司文化和队伍素质。

（6）公司的发展阶段。

薪酬方案设计策略是综合考虑多个薪酬因素后的结果。

1. 薪酬水平

薪酬水平方面可以采取的策略包括代表高薪酬水平的薪酬领袖策略、代表中等薪酬水平的市场追随策略、代表低薪酬水平的市场拖后策略，以及前几种策略混合的薪酬混合策略。

2. 薪酬结构

薪酬结构方面可以采取的策略包括代表高激励性、低稳定性的弹性策略，代表高稳定性、低激励性的稳定策略，以及激励性和稳定性都居中的折中策略。

3. 薪酬模式

薪酬模式是公司决定采取的薪酬形式的组合，常见的有 3 种类型。

（1）如果公司结构较单一，想要全公司上下步调一致，薪酬形式统一，可以采取统一的薪酬模式。

（2）如果公司结构复杂，岗位层级较多，类型较多样，想要对不同类型的人才采取不同的、有针对性的薪酬形式，则可以采取多元的薪酬模式。

（3）如果公司结构介于单一和复杂之间，允许薪酬形式的不同，但又强调主辅关系，可以采取以一种薪酬模式为主、几种薪酬模式为辅的薪酬模式。

4. 薪酬差距

由于公司文化、经营理念、业务特点等不同，公司中各个层级的薪酬差距的大小也是设计薪酬方案时需要考虑的。

强调“比帮赶超”氛围、鼓励员工提升能力和绩效水平的公司可以拉大各层级的薪酬差距，可以采取薪酬层级差距较大的策略，激发员工的动力。

强调平稳发展，追求细水长流，不想让员工薪酬层级差异较大的公司，可以采取薪酬层级差距较小的策略。

介于上述二者之间的公司，可以采取薪酬层级差距中等的策略。

5. 配套措施

薪酬方案和制度的有效实施，往往需要相关的配套政策和措施的支持。公司在设计薪酬方案和制度时，要考虑到推行时的复杂程度和难易程度。

薪酬方案设计策略是一个复合体，是多个薪酬方案考虑因素中的一种或多种的多样性组合。考虑因素越全面，薪酬方案设计策略选择越准确，薪酬方案设计的实用性将会越强。具体的考虑因素和策略选择，需要视具体情况确定。

4.2.4　实施流程：薪酬方案设计六阶段

薪酬方案设计的流程可以分成 6 个阶段，如图 4-2 所示。

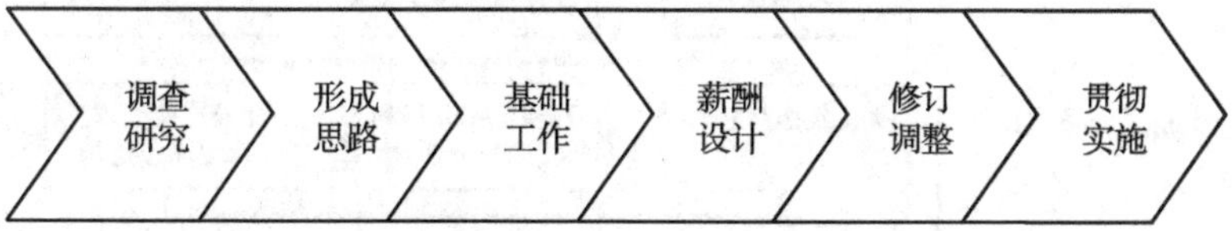

图 4-2　薪酬方案设计示意图

1. 调查研究

在薪酬方案设计的调查研究阶段，薪酬方案设计人员要了解本公司的基本情况，要掌握外部市场（主要竞争对手或对标公司）薪酬的基本情况，要抓准当前的薪酬分配制度中存在的问题，把握员工的思想状况，分析实施薪酬改革的利弊。

2. 形成思路

在薪酬方案设计形成思路的阶段，薪酬方案设计人员要根据公司内外部调查研究的结果，提出薪酬方案设计的初步构想，并就该构想与必要的参与者反复讨论后，形成共识，确定薪酬方案设计的最终目标和定位，并开展薪酬方案设计的宣传动员工作。

3. 基础工作

在薪酬方案设计的基础工作阶段，薪酬方案设计人员要优化组织机构和岗位体系，要进行全公司工作分析、岗位分析和岗位测评，要形成岗位价值排序结果。岗位价值排序的结果最好量化。

4. 薪酬设计

在薪酬方案设计的具体设计阶段，薪酬方案设计人员要根据战略，选择适宜的薪酬模式；根据需要，设计适宜的薪酬制度；根据情况，确定相应的薪酬标准；根据测算，预估可承受的薪酬预算；根据预演，拟定待实施的薪酬方案。

5. 修订调整

在薪酬方案设计的修订调整阶段，薪酬方案设计人员应反复征求公司内外部相关层级相关人员的意见，确定薪酬方案存在的问题，并再次确认并仔细测算薪酬方案，修改并调整得到最终版的薪酬方案。

6. 贯彻实施

在薪酬方案设计的贯彻实施阶段，薪酬方案设计人员应提交薪酬方案报相关领导层审定并批准。审批通过后，薪酬方案设计人员就可以开始在一定范围内对薪酬政策进行正式的宣导，并组织分层、分类地落实并执行相关薪酬政策。

薪酬方案设计的 6 个阶段可以细分成一套完整的薪酬方案设计流程，如图 4-3 所示。

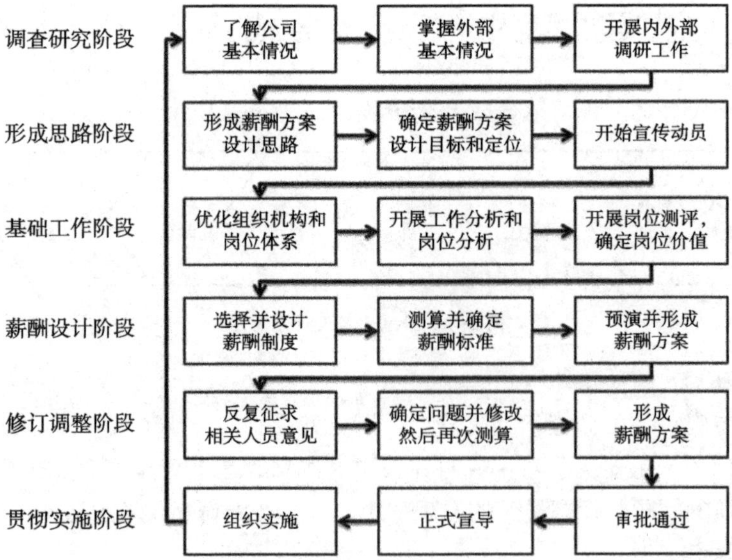

图 4-3 薪酬方案设计的流程

在薪酬方案实施的过程中，为了留有一定的弹性，公司可以设置一个时间段作为过渡期，在过渡期内试运行薪酬方案，广泛收集相关人员的意见，对暴露出的问题讨论后及时修改。

薪酬方案设计的流程应是一个可以在内部不断调整、能够自洽的动态闭环管理过程。如果最终的方案出现较大问题，公司可以复盘整个过程，在下一轮的薪酬方案设计流程开始时预警。

4.2.5 薪酬制度：编制方法七内容

薪酬管理制度是薪酬管理体系的制度化体现，是公司制定并实施薪酬方案后，为了最大限度地发挥薪酬管理的效果，而采取的各种方法、模式和工具的规范化、标准化文件的总称。

公司的薪酬管理制度有广义和狭义之分。广义的薪酬管理制度，指的是与经济性报酬和非经济性报酬直接或间接相关的所有人力资源管理制度。狭义的薪酬管理制度仅指与经济性报酬直接相关的制度。

广义的薪酬管理制度是一套薪酬相关制度组成的制度体系。其包含的相关要素与广义薪酬概念包含的要素是一一对应的。按照大类分，其可以分成经济性报酬相关制度和非经济性报酬相关制度两大类。再细分，经济性报酬相关制度又可以分为工资分配制度、福利制度、保障计划、中长期激励制度等相关制度。

广义的薪酬管理制度包含的要素如图 4-4 所示。

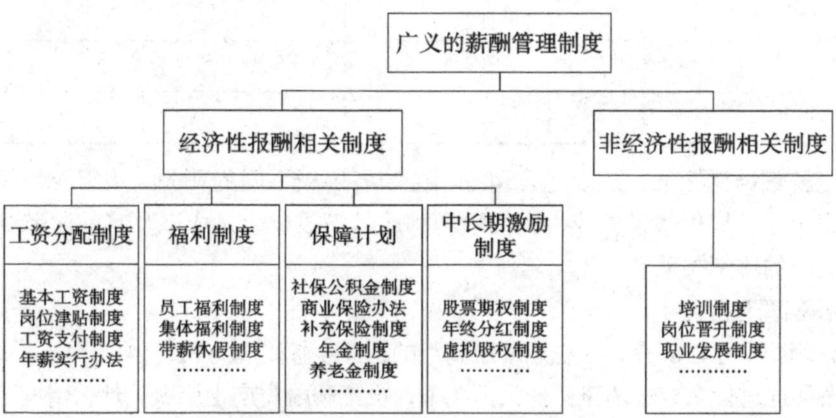

图 4-4　广义的薪酬管理制度包含的要素

我们经常说的薪酬管理制度一般指的都是狭义的薪酬管理制度。狭义的薪酬管理制度，一般只和薪酬的设计和发放有关，是一种全公司都可以参考的薪酬规则文件。狭义的薪酬管理制度的条文规定通常包括 7 点。

1. 薪酬基本原则

在薪酬基本原则的部分，应说明薪酬管理制度的大方向和原则，包括：公司提倡什么、不提倡什么；公司会奖励哪种类型的态度、行为或绩效结果，不希望看到或会惩罚哪种类型的态度、行为或绩效结果。

2. 薪酬标准

这里的薪酬标准包括薪酬水平标准和薪酬结构标准。

确定薪酬水平标准，通常需要先规定公司的岗位类别和岗位层级。岗位类别可以根据族群、序列或者角色划分。岗位层级可以根据职等和职级划分。再根据不同的岗位类别和岗位层级确定相应的薪酬水平标准。一般应形成一张清晰明确的薪酬参照表，如表 4-1 所示。

表 4-1　薪酬参照表

职等	职级	X 类岗位	Y 类岗位	Z 类岗位
A	1			
	2			
	3			
B	1			
	2			
	3			
C	1			
	2			
	3			

确定薪酬结构标准，应规定公司各岗位和各层级不同的薪酬结构组成，其中包括基本工资组成、岗位津贴构成、岗位福利构成、绩效奖金构成以及其他薪酬要素构成和各项之间的比例关系。

3. 薪酬调整原则

在薪酬调整原则部分，应规定薪酬调整的程序、标准和方法，包括：薪酬多久调整一次；薪酬通过什么方式调整；什么情况下，员工薪酬将向上调整；什么情况下，员工薪酬将向下调整；什么情况下，员工将不参与调薪；向上或向下调整的具体标准和依据是什么；等等。

4. 薪酬支付原则

在薪酬支付原则部分，应规定：薪酬支付的具体时间、方式、频率和额度等；薪酬支付后，公司应以何种方式告知员工其个人薪酬的发放结果及组成；如果员工对个人所得薪酬数额有疑问，应该通过何种方式表达个人意见。

5. 薪酬保密原则

在薪酬保密原则部分，应规定：员工对薪酬相关问题的保密程度以及接触薪酬的相关人员对薪酬的保密程度；关于薪酬事项，哪些事情员工可以讨论，哪些事情员工不应该讨论；如果员工讨论了不该讨论的事项，或者接触薪酬的相关人员产生了不该有的行为，会得到什么处罚。

6. 薪酬建议原则

在薪酬建议原则部分，应规定：员工如果对公司现行的薪酬管理制度有任何的意见或建议，应该通过什么渠道来表达个人的意见或建议；当员工提出相关的意见和建议后，负责薪酬管理的工作人员应在多久之内给予相应的回复。

7. 津贴福利标准

在津贴福利标准部分，应规定不同层级、不同类别、不同岗位的员工能够获得的津贴。在福利标准部分，应规定公司的全体员工可以享受的福利以及分岗位、类别和层级的员工能够享受的福利。

4.3 解决方案：重视价值的宽带薪酬设计

宽带薪酬的产生可以追溯到 20 世纪 80 年代末期到 20 世纪 90 年代初，当时大部分的组织发现传统职能型和事业部型组织的弊端，开始去层级化，组织机构趋于扁平化，组织流程相应更新变化，人员的轮岗情况增加，组织越来越重视人的职业发展。这时，与这种改变相适应的薪酬模式——宽带薪酬应运而生。

4.3.1 应用特点：宽带薪酬实施原理

宽带薪酬是一种薪酬浮动的范围较大、薪酬等级较少的薪酬模式。宽带薪酬是传统的窄带薪酬演化而来的，它是在窄带薪酬的基础上，对薪酬等级和薪酬变动的范围重新做了组合，将原来数量比较多、跨度小的薪酬等级减少，将薪酬上下级之间的浮动范围拉大，从而形成的一种薪酬模式。

窄带薪酬和宽带薪酬之间的关系和演化过程可以参考如下内容。

传统的窄带薪酬如图 4-5 所示。

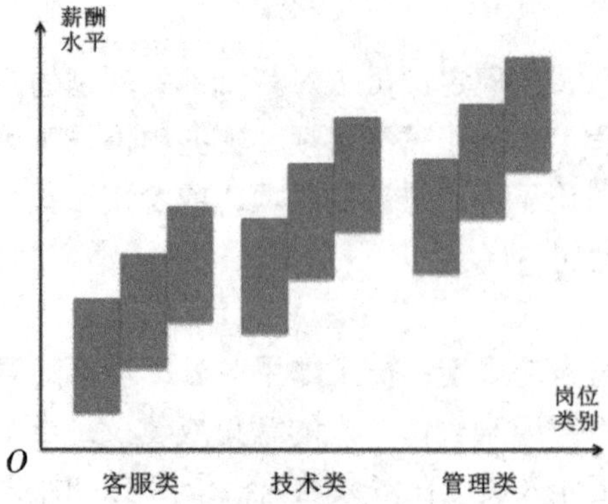

图 4-5　传统的窄带薪酬示意图

从图 4-5 中，可以看出窄带薪酬在某一类岗位上，会划分多个层级。图仅为演示，实务中人数较多的公司可能会有十几甚至几十个层级。在此基础上做出改变的宽带薪酬如图 4-6 所示。

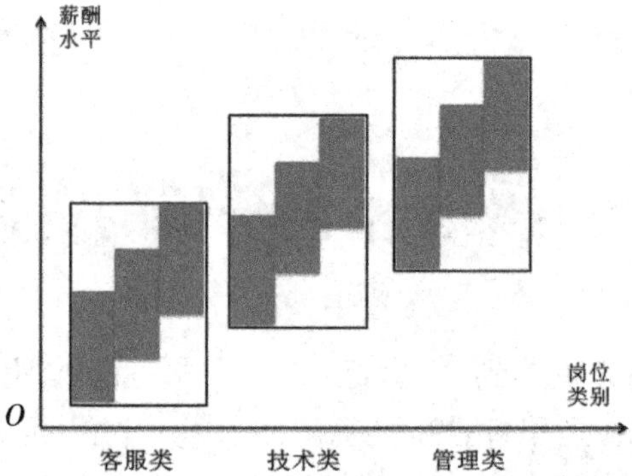

图 4-6　宽带薪酬示意图

宽带薪酬通过归类，将原本数量多的薪酬等级划分得更少，从而显得更“宽”，同时将每个等级薪酬的上下值的差距拉得更开。宽带薪酬形成的新的薪酬管理体系，能够适应新的管理模式、业务发展和竞争环境的需要。

传统薪酬模式与宽带薪酬模式之间的着眼点和定位有所不同，如图 4-7 所示。

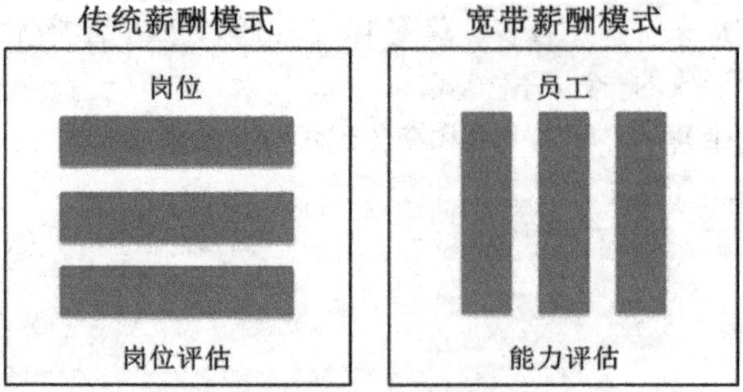

图 4-7　传统薪酬模式和宽带薪酬模式比较

传统薪酬模式适用于职能型、事业部型或其他偏纵向型的组织机构，在这类严密的直线层级制组织机构中，薪酬设计聚焦在岗位的设置上。薪酬设计以岗位评估为基础，以任务目标为导向。

宽带薪酬模式适用于流程型、网络型或者其他偏横向型的组织机构，在这类工作和汇报关系趋于扁平化的组织中，薪酬设计聚焦在员工（也就是人）的发展上。薪酬设计以能力评估为基础，以员工的职业发展为导向。

宽带薪酬的优势包括如下内容。

1. 有利于满足公司战略调整的需要

公司的经营和发展不可能是一成不变的，传统窄带薪酬的组织机构、岗位设置和等级设置适应不了公司战略和经营快速发展变化的需要。相反的，宽带薪酬由于其薪酬等级和薪酬范围“宽幅”的特点，更容易适应公司战略的快速调整。

2. 有利于员工职业生涯的发展

在原本的薪酬模式下，当员工因职业发展的需要而进行岗位轮换时，薪酬变换可能会由于等级规则的限制出现各种问题。而当实行宽带薪酬时，员工在职业生涯中的薪酬变化不再受薪酬等级和幅度的限制。

3. 有利于构建学习型的组织

员工在组织中的发展，不再受岗位和等级的限制，想获得高薪，不是只有一条等级提高的道路，还多了一条能力提升的道路。员工技能和能力的提高也将带来薪酬的提升，这为公司中的大部分人提供了机会，提高了他们主动提升自身能力和技能的积极性。

4. 有利于推动组织绩效的提升

当员工开始主动提升自身的技能水平时，代表着员工的工作积极性和工作能力都在提高。员工绩效的提升通常也是在宽带薪酬模式中员工薪酬增长的条件之一。这些都会对员工工作的绩效结果产生积极的影响。当公司中大部分员工产生这种转变时，必将推动组织整体绩效的提升。

5. 有利于强化部门内部的管理

宽带薪酬在一个薪酬宽带内，上下限之间的差异较大，因此给员工薪酬水平的确定留有较大的空间。这种情况下，直线经理将承担更大的责任，拥有更大的权限，可以对员工的薪酬水平给出更多的建议。这有利于直线经理强化和深入员工管理，也有利于人力资源管理工作的务实和落地。

当然，宽带薪酬也存在一些缺陷。

1. 晋升问题

晋升对员工来说是一种激励手段，对于薪酬达到一定水平的员工更是如此。然而对适用宽带薪酬的趋于扁平化的组织来说，职位上的晋升可能只能满足一小部分员工。只要员工能力水平达标，宽带薪酬模式就能保证员工的“利”，但其无法保证员工的“名”。

2. 成本增加

在宽带薪酬模式下，即便不晋升，某一类员工的薪酬上限通常是比较高的。与传统的窄带薪酬模式下员工的薪酬水平很快就能达到上限不同，在宽带薪酬模式下，只要员工的能力、绩效等达到公司要求，员工的薪酬水平就可能会较高。

3. 适用性低

宽带薪酬并不适用于所有的公司，例如在有些传统纵向层级制的劳动密集型公司中，长期积累的公司文化以及管理的特性决定了窄带薪酬可能更有效。宽带薪酬比较适用于技术型、创新型的公司。

4. 绩效崇拜

强调个人绩效的宽带薪酬，在强化个体绩效的同时，也让组织面临着内部协同失败的可能性。如果过分强调绩效，则可能会忽视员工不同层次的需求，可能会让整个组织的需求导向转向逐利性。

5. 腐败可能

宽带薪酬能够让直线经理更多地参与员工管理和薪酬制定，这也使得公司内部或团队内部形成对直线经理的倚重。直线经理手中的权力看起来比原来更大，可能会滋生团队内的腐败。

4.3.2 岗位分类：族群、序列、角色设计

要设计公司的薪酬体系，有效实施宽带薪酬，需要对岗位实施有效的分类。划分岗位族群、序列和角色就是一种给岗位分类的方法。

岗位族群指的是由一系列工作内容相近或相似，任职所需要的知识、技能相同或相近的岗位组成的岗位集合。

岗位序列指的是在岗位族群之下，在岗位角色之上，介于族群和角色之间，对岗位族群做的进一步细分，对岗位角色做的进一步总结。

岗位角色指的是根据岗位职责的特点，把对岗位人员执行职责时的特点进行概括性的描述，形成的特有的岗位类别。

建立岗位的族群、序列、角色体系有什么好处？

（1）能够给人力资源调配提供一个新的工具，实现对数量庞大的岗位进行动态管理。

（2）建立多通道的职业发展路径，拓宽员工在公司的发展空间，增强对核心人员的保留与激励。

（3）可以针对不同岗位类别，制定个性化的人力资源管理配套方案，包括薪酬激励、培训与发展、人员选拔与流动、绩效管理等的人力资源管理方案。

根据实际情况的不同，公司可以有区别地应用族群、序列和角色的概念。一般来说，人数规模越大、岗位种类越多、人员分布越分散的公司，越要用到族群、序列和

角色的概念；人数规模比较小、岗位种类比较少、人员分布比较集中的公司，可以只应用序列和角色的概念，或者只应用岗位角色的概念。

如今已经有很多互联网公司在淡化岗位，强调角色。在这类公司中，某员工在什么岗位并不关键，该员工担任什么角色更关键。有的角色对公司很重要，价值很高；有的角色相对不重要，相对价值较低。

如何划分岗位族群、序列、角色？

一般来说，族群可以应用在不同行业或地区之间。在同一族群内部，业务模式相对统一。

例如某集团公司，主营业务分成三大板块，一部分是传统生产制造业板块，一部分是高新技术生产制造业板块，还有一部分是互联网金融业务板块。这三大板块业务没有关联性，岗位差别较大。此时，可以给这三大板块中的每个板块划分出岗位族群。

例如某跨国公司，在中国、泰国、英国、美国 4 个国家分别设有分公司，每个国家分公司的业务模式比较统一，此时可以将所有岗位划分为中国区族群、泰国区族群、英国区族群和美国区族群。如果在同一国家的不同地区的业务模式有差异，也可以进一步细化族群划分。

在每个岗位族群中，序列和角色的划分可以参考迈克尔·波特的价值链模型。按照价值链模型划分序列和角色后，能够看出公司中哪个环节的相对价值较高，哪个环节的相对价值较低。对于价值比较高的环节，公司应当在人力资源、财务资源上，重点向其倾斜；对于价值比较低的环节，公司可以在人力资源和财务资源上投入比较少。

举例

某公司的岗位族群中，按照价值链模型对岗位的序列和角色的划分如图 4-8 所示。

辅助活动	序列	管理序列	人力资源序列	财务管理序列		行政序列		
	角色	高层管理	人力资源	财务	审计	档案管理	行政文秘	
	序列	技术序列		科研项目管理	质量控制序列		安环管理	
	角色	技术研发	生产工艺	项目管理	质量检测	体系认证	安环管理	
	序列	后勤保障序列					信息序列	
	角色	保卫	司机	厨师	宿管	勤杂	信息管理	
基本活动	序列	采购序列	生产序列				市场序列	
	角色	物资供应	仓库管理	设备维修	生产实施	生产统计	市场开发维护	售后服务

图 4-8 某公司以价值链模型为基础在某族群下的序列和角色划分示意图

运用岗位的族群、序列和角色来区分岗位类别，有利于对不同的岗位做岗位价值分析，有利于设计岗位的薪酬体系，有利于根据岗位特性进行薪酬调整，也有利于公司的职等职级建设和其他人力资源管理工具的应用。

例如在上述案例的技术序列中，包含两种角色——技术研发角色和生产工艺角色。这两种角色的内在价值存在明显差异，一般来说，技术研发角色的价值明显要高于生产工艺角色。此时在岗位价值评估上，在薪酬设计上，在职业发展路径设计上，这两类角色的岗位应当不同。

当公司实施人力资源数量分析时，也可以用岗位的族群、序列和角色来分析数量，而不是单纯依靠传统部门或岗位来分析人力资源数量。

用岗位的族群、序列和角色来分析人力资源数量时，在公司中序列和角色的高价值区，人力资源的数量和质量比较集中，是公司比较期望看到的。而在公司中序列和角色的低价值区，人力资源的数量和质量可以相对薄弱。

4.3.3 岗位分级：职等职级设计方法

要有效应用宽带薪酬，除划分岗位类别外，公司还应划分岗位的职等职级。

划分职等职级的常见方法有两种，第一种是职级在前、职等在后，将职级/职等作为职务名称的分级方式。其中，职级的分层数较少，职等的分层数较多。

举例

某公司把所有职位分成7个级别，分别是员工级、主管级、经理级、高级经理级、总监级、副总经理级、总经理级。每个级别分成3个职级、9个职等，每个职等对应着不同的月薪标准。该公司职等职级与月薪标准如图4-9所示。

员工级		
职级	职等	月薪标准(元)
	上限	6 800
一级	一等	6 200
	二等	5 600
	三等	5 100
二级	一等	4 600
	二等	4 200
	三等	3 800
三级	一等	3 500
	二等	3 100
	三等	2 800

主管级		
职级	职等	月薪标准(元)
	上限	8 200
一级	一等	7 500
	二等	6 800
	三等	6 200
二级	一等	5 600
	二等	5 100
	三等	4 600
三级	一等	4 200
	二等	3 800
	三等	3 500

经理级		
职级	职等	月薪标准(元)
	上限	10 000
一级	一等	9 000
	二等	8 200
	三等	7 500
二级	一等	6 800
	二等	6 200
	三等	5 600
三级	一等	5 100
	二等	4 600
	三等	4 200

高级经理级		
职级	职等	月薪标准(元)
	上限	12 000
一级	一等	11 000
	二等	10 000
	三等	9 000
二级	一等	8 200
	二等	7 500
	三等	6 800
三级	一等	6 200
	二等	5 600
	三等	5 100

总监级		
职级	职等	月薪标准(元)
	上限	14 600
一级	一等	13 200
	二等	12 000
	三等	11 000
二级	一等	10 000
	二等	9 000
	三等	8 200
三级	一等	7 500
	二等	6 800
	三等	6 200

副总经理级		
职级	职等	月薪标准(元)
	上限	17 600
一级	一等	16 000
	二等	14 600
	三等	13 200
二级	一等	12 000
	二等	11 000
	三等	10 000
三级	一等	9 000
	二等	8 200
	三等	7 500

总经理级		
职级	职等	月薪标准(元)
	上限	21 400
一级	一等	19 400
	二等	17 600
	三等	16 000
二级	一等	14 600
	二等	13 200
	三等	12 000
三级	一等	11 000
	二等	10 000
	三等	9 000

图4-9 某公司职等职级与月薪标准1

第二种划分职等职级的方法是将职级与职务名称合并，用职等划分不同职级内的层次。

举例

某公司把所有职位划分成7个职级，分别是员工、主管、经理、高级经理、总监、副总经理、总经理。每个职级分成9个职等，每个职等对应着不同的月薪标准。该公司职等职级与月薪标准如图4-10所示。

职级，员工	
职等	月薪标准（元）
1	6 200
2	5 600
3	5 100
4	4 600
5	4 200
6	3 800
7	3 500
8	3 100
9	2 800

职级，主管	
职等	月薪标准（元）
1	7 500
2	6 800
3	6 200
4	5 600
5	5 100
6	4 600
7	4 200
8	3 800
9	3 500

职级，经理	
职等	月薪标准（元）
1	9 000
2	8 200
3	7 500
4	6 800
5	6 200
6	5 600
7	5 100
8	4 600
9	4 200

职级，高级经理	
职等	月薪标准（元）
1	11 000
2	10 000
3	9 000
4	8 200
5	7 500
6	6 800
7	6 200
8	5 600
9	5 100

职级，总监	
职等	月薪标准（元）
1	13 200
2	12 000
3	11 000
4	10 000
5	9 000
6	8 200
7	7 500
8	6 800
9	6 200

职级，副总经理	
职等	月薪标准（元）
1	16 000
2	14 600
3	13 200
4	12 000
5	11 000
6	10 000
7	9 000
8	8 200
9	7 500

职级，总经理	
职等	月薪标准（元）
1	19 400
2	17 600
3	16 000
4	14 600
5	13 200
6	12 000
7	11 000
8	10 000
9	9 000

图4-10　某公司职等职级与月薪标准2

一般来说，职级/职等越高，月薪标准越高。但因为存在技术类岗位，公司中存在价值贡献较大，但职等或职级较低的员工，这时公司为了鼓励这部分员工继续晋升，可以提升其月薪水平。所以公司中可能会出现某员工的职等或职级较低，但月薪水平高于职等或职级较高员工的月薪水平。

4.3.4　宽带设计：薪酬方案设计样例

D公司现行的薪酬制度，已经不能满足公司发展需要，薪酬的激励作用已经不明显，主要体现在以下方面。

（1）薪酬与能力脱节。薪酬不能激励员工提升自身的素质和能力，员工趋于保持现状、不思进取，没有积极主动改变的外部动力。

（2）薪酬与绩效脱节。工作好坏一个样，不能激励员工为完成绩效目标而努力。同时会导致公司的管理人员对效率的漠视，指导和培养下属员工的意识不足。

针对以上问题，执行以激励为导向的宽带薪酬体系设计（以下内容已简化，仅为举例说明应用步骤和结果）。

1. 岗位分级

经过岗位盘点、工作分析和评估，将岗位的层级划分为核心层、中层和基层三大层次，将岗位类别划分为管理类、技术类、销售类、专业类、行政类、工勤类六大类别。

2. 宽带设计

整合公司的所有岗位，全部采用宽带薪酬策略。最终，将公司的所有岗位分成 10 个职等，如表 4-2 所示。

表 4-2　宽带薪酬层级划分样表

层级	职等	管理类	技术类	销售类	专业类	行政类	工勤类
核心层	G10						
	G9						
	G8						
中层	G7						
	G6						
	G5						
	G4						
基层	G3						
	G2						
	G1						

核心层的职等为 G8 到 G10，中层为 G4 到 G7，基层为 G1 到 G3。公司的总经理处在最高层。

根据各岗位要求和技能差异，为了鼓励员工提升能力和绩效，在职等不变的情况下，为优秀员工提供薪酬提高的通道，将每个职等又划分成了 10 级，如表 4-3 所示。

表 4-3　岗位技能等级薪酬水平划分样表

层级	职等	层级差异	岗位技能等级薪酬水平（元）										级差（元）
			R1	R2	R3	R4	R5	R6	R7	R8	R9	R10	
核心层	G10	2.8	8 400	11 400	14 400	17 400	20 400	23 400	26 400	29 400	32 400	35 400	3 000
	G9	2.6	7 800	10 200	12 600	15 000	17 400	19 800	22 200	24 600	27 000	29 400	2 400
	G8	2.4	7 200	9 200	11 200	13 200	15 200	17 200	19 200	21 200	23 200	25 200	2 000
中层	G7	2.2	6 600	8 200	9 800	11 400	13 000	14 600	16 200	17 800	19 400	21 000	1 600
	G6	2	6 000	7 300	8 600	9 900	11 200	12 500	13 800	15 100	16 400	17 700	1 300
	G5	1.8	5 400	6 400	7 400	8 400	9 400	10 400	11 400	12 400	13 400	14 400	1 000
	G4	1.6	4 800	5 600	6 400	7 200	8 000	8 800	9 600	10 400	11 200	12 000	800
基层	G3	1.4	4 200	4 800	5 400	6 000	6 600	7 200	7 800	8 400	9 000	9 600	600
	G2	1.2	3 600	4 000	4 400	4 800	5 200	5 600	6 000	6 400	6 800	7 200	400
	G1	1	3 000	3 200	3 400	3 600	3 800	4 000	4 200	4 400	4 600	4 800	200

表 4-3 中的 R1 到 R10 为岗位技能的 10 个等级。根据职等的不同，每个岗位

等级的级差为 200 元到 3 000 元不等。职等 G1 到 G10 之间有 1 到 2.8 倍的差异，也就是处在 G10 的第 1 级（R1）的工资是处在 G1 的第 1 级（R1）的 2.8 倍。

3. 薪酬结构设计

新的薪酬结构由固定工资、季度绩效工资和年度绩效工资组成。在充分考虑不同层级岗位的特性后，制定各层级岗位薪酬结构如表 4-4 所示。

表 4-4　各层级岗位薪酬结构

岗位类别	固定工资占比	季度绩效工资 / 提成占比	年度绩效工资 / 提成占比
核心层	20%	0	80%
中层	50%	30%	20%
基层	70%	20%	10%
销售人员	20%	30%	50%

表 4-4 中，核心层管理者因为需要做出更长远的战略决策，所以固定工资的比例缩小，年度绩效工资的比例放大，不设置季度绩效工资。

中层管理者需上传下达，兼顾工作职责、当下的目标和长远的利益，所以固定工资和绩效工资均衡分配。

基层员工更注重岗位职责，所以固定工资的占比较高，绩效工资的占比较低。

销售人员靠业绩说话，所以固定工资比例较低，提成比例较高。

4.3.5　三个步骤：宽带薪酬设计流程

设计宽带薪酬的流程可以分成 3 步，如图 4-11 所示。

图 4-11　宽带薪酬设计流程

1. 确定宽带数量

确定宽带数量，需要做好薪酬对应岗位层级的合并与设计。合并的依据可以是岗位类别，可以是岗位角色，还可以是岗位属性。具体按照哪种性质做合并可以根据公司的管理需要和习惯而定。

举例

某公司希望整合公司现有的薪酬层级，实行宽带薪酬模式。在进行岗位盘点和岗位价值评估后，公司现有的岗位情况如表 4-5 所示。

表 4-5　某公司岗位盘点和岗位价值评估结果

岗位类别	岗位层级	岗位价值评分	该岗位薪酬标准最低值（元 / 年）	该岗位薪酬标准最高值（元 / 年）
管理岗位	A1	650	800 000	1 000 000
	A2	600	700 000	900 000
	A3	550	600 000	800 000
	A4	530	500 000	700 000
技术岗位	B1	490	400 000	600 000
	B2	410	350 000	500 000
	B3	350	250 000	400 000
	B4	290	200 000	300 000
员工岗位	C1	210	180 000	250 000
	C2	180	150 000	200 000
	C3	150	100 000	150 000
	C4	100	80 000	120 000

从表 4-5 能够看出，公司现有的岗位层级有 12 个。按照岗位类别的不同，可以直接将其划分为 A、B、C 3 种岗位层级，也就是由原来窄带薪酬模式的 12 条“窄带”，变成宽带薪酬模式的 3 条“宽带”。

2. 确定宽带薪酬范围

要确定宽带薪酬范围，需要设计薪酬区间。宽带薪酬的区间与之前相比可以有较大的跨度。在同一个区间内，最高级与最低级可以有 1 到 3 倍的跨度，而且上下层级之间可以有一定的交叠。

举例

接前例，如果将各个岗位类别中窄带薪酬等级的上下限作为宽带薪酬的上下限，则得到宽带薪酬的范围如图 4-12 所示。

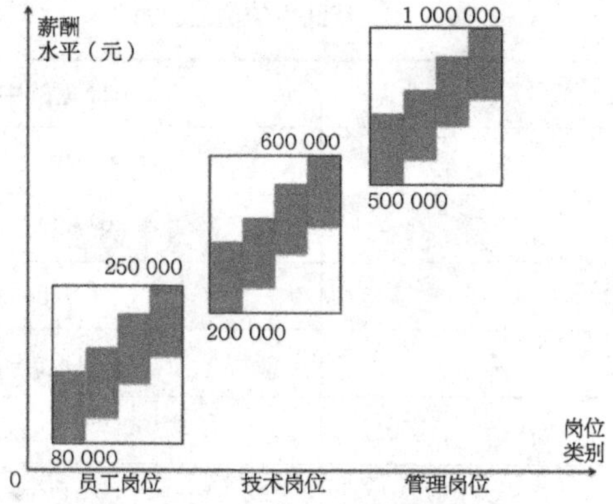

图 4-12　宽带薪酬上下限示意图

当然，宽带薪酬的上下限并不一定要完全与现有薪酬的上下限相同。实务中，薪酬管理人员可以根据公司战略、人力资源战略、薪酬战略、市场供需情况、本公司的付薪情况、岗位责任大小、岗位价值大小以及岗位需求技能水平的高低等因素，按需制定宽带薪酬的最高值和最低值，如图 4-13 所示。

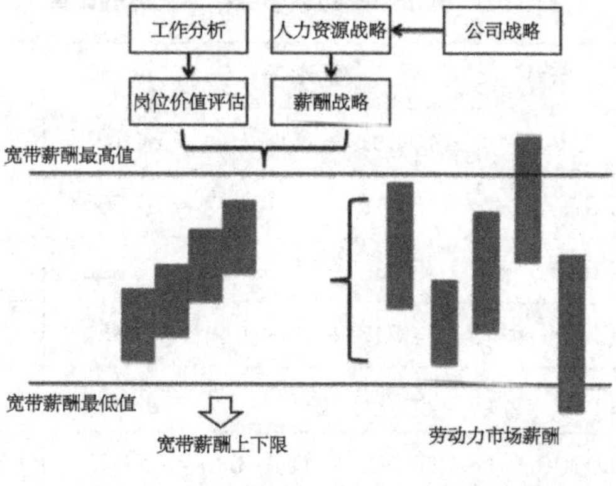

图 4-13　宽带薪酬确定上下限过程示意图

如何计算宽带薪酬呢？

举例

某公司要为某岗位建立一个在所有等级中工资的中位值为年薪 60 000 元，共 9 个职位等级，相邻职位等级的工资差距为 10%，同职级中，工资最高值与最低值的差距为 40% 的宽带薪酬体系。

根据相邻职位等级的工资差距为 10% 这一条件，计算不同等级年薪中位值的方法如表 4-6 所示。

表 4-6 年薪中位值的计算

职位等级	年薪的中位值（元）
等级 1	45 079 ÷ 1.1 ≈ 40 981
等级 2	49 587 ÷ 1.1 ≈ 45 079
等级 3	54 545 ÷ 1.1 ≈ 49 586
等级 4	60 000 ÷ 1.1 ≈ 54 545
等级 5	60 000
等级 6	60 000 × 1.1 = 66 000
等级 7	66 000 × 1.1 = 72 600
等级 8	72 600 × 1.1 = 79 860
等级 9	79 860 × 1.1 = 87 846

根据年薪中位值的计算结果和工资最高值与最低值的差距为 40% 的条件，计算不同等级宽带薪酬的最小值和最大值的方法如表 4-7 所示。

表 4-7 宽带薪酬的最小值和最大值的计算

职位等级	中位值（元）	最小值（元）	最大值（元）
等级 1	40 981	40 981 ÷ (1 + 0.2) ≈ 34 151	34 151 × 1.4 ≈ 47 811
等级 2	45 079	45 079 ÷ (1 + 0.2) ≈ 37 566	37 566 × 1.4 ≈ 52 592
等级 3	49 586	49 586 ÷ (1 + 0.2) ≈ 41 322	41 322 × 1.4 ≈ 57 851
等级 4	54 545	54 545 ÷ (1 + 0.2) ≈ 45 454	45 454 × 1.4 ≈ 63 636
等级 5	60 000	60 000 ÷ (1 + 0.2) = 50 000	50 000 × 1.4 = 70 000
等级 6	66 000	66 000 ÷ (1 + 0.2) = 55 000	55 000 × 1.4 = 77 000
等级 7	72 600	72 600 ÷ (1 + 0.2) = 60 500	60 500 × 1.4 = 84 700
等级 8	79 860	79 860 ÷ (1 + 0.2) = 66 550	66,550 × 1.4 = 93 170
等级 9	87 846	87 846 ÷ (1 + 0.2) = 73 205	73 205 × 1.4 = 102 487

3. 确定薪酬结构

完成以上两步后，接下来，薪酬管理人员应根据不同岗位的工作性质特点及不同层级员工需求的特殊性与多样性，建立对应宽带薪酬岗位类别的薪酬结构，来有效激发不同层次员工的积极性和主动性。

举例

根据管理岗位、技术岗位和员工岗位3类岗位工作性质和岗位特点的不同，对薪酬结构的划分如表4-8所示。

表4-8　岗位薪酬结构划分

岗位类别	月固定工资占比	月浮动工资占比	年终奖金占比	岗位福利占比	长期激励占比
管理岗位	20% ~ 40%	10% ~ 30%	30% ~ 40%	10% ~ 30%	10% ~ 30%
技术岗位	40% ~ 60%	10% ~ 20%	20% ~ 30%	10% ~ 20%	0 ~ 10%
员工岗位	50% ~ 80%	10% ~ 20%	10% ~ 20%	5% ~ 15%	0

当然，除以上三步外，在进行宽带薪酬设计时，还需要提前做好任职资格以及岗位评级工作。同时要设计在宽带薪酬模式中，岗位轮换引起的横向薪酬变化的条件与规则。

4.3.6　四项修正：宽带薪酬实施修正

设计宽带薪酬的整体方案只是宽带薪酬实施工作的开始，要让宽带薪酬在公司中得到有效的实施，还需要做好如下工作。

1. 完善组织机构

按理说，组织机构应是宽带薪酬方案设计的前提条件。实务中宽带薪酬方案可以作为组织机构调整方案的一部分出现，也可以作为组织机构调整方案的补充。总之，可以在组织机构变化之前，进行宽带薪酬模式的设计。但如果要保证宽带薪酬的有效实施，公司应对组织机构采取相应的改变措施。

例如某组织由原来的纵向职能型结构转变为横向流程型结构。如果组织机构不发生变化，则宽带薪酬在职能型组织机构中可能难以推行。这时员工的发展和薪酬变化，依然依赖于晋升和岗位的变化。只有该组织转变为相对扁平化的组织后，员工的晋升与发展才不限于职务的变化，而可以依据绩效和能力。

2. 宣导及时有效

薪酬政策是员工非常关心的敏感政策。要推行新的薪酬政策，少不了全公司范围内的宣导。如果宣导不到位，员工很可能会担心公司改变薪酬模式的实质是想降低他们的薪酬，从而产生抵触情绪，影响薪酬政策的推行。

所以，薪酬政策的宣导一定要及时，薪酬管理人员要将薪酬政策宣导给公司中的中基层管理者，再由中基层管理者宣导给员工。

宣导的过程中不仅要宣传薪酬政策本身，还应借此机会告知员工实行宽带薪酬是为了鼓励员工学习与成长，鼓励员工做出贡献。要让员工树立“只要不断提高自身的能力和绩效水平，就能提高薪酬水平”的信念，以此来建立学习型组织，激发员工活力，激励员工成长，保证公司持久、健康地发展。

3. 健全测评系统

既然在宽带薪酬模式中，绩效水平和能力水平是确定员工薪酬水平的重要依据，那么公司一定要完善绩效管理体系和能力管理体系。绩效和能力测评要准备充分，并保证结果相对公平和合理。

如果没有绩效和能力两大测评系统对员工进行客观、有效的评价，宽带薪酬就如同空中楼阁。员工不会因为实行了宽带薪酬而被激励，反而会产生对公司的不信任感。

4. 关注实施控制

因为实施宽带薪酬很容易增加公司的人力费用，所以在实施宽带薪酬之前，薪酬管理人员应做好薪酬的预算。要对总体的薪酬水平和可能的变化做出准确的预算，以便确保在未来一段时间内的人力费用得到一定程度的控制。

在推行宽带薪酬的过程中，要注意总量控制，及时修正。员工的薪酬是公司必须负担的一项费用，但公司的支付能力是有限的。如果涉及薪资增长，增长的幅度不应超过公司的承受能力。

要定期、及时地关注并评估市场状况，对薪酬政策做出调整，以适应市场的变化。宽带薪酬模型一经建立，在不违背公司战略，保持相对稳定的前提下，还应具有一定的弹性，使薪酬策略、薪资水平、薪资结构都能随着公司经营状况和市场薪酬水平的变化而变化。

4.3.7 五项注意：宽带薪酬注意事项

与传统的薪酬模式相比，宽带薪酬更注重考虑员工个体之间的差异，这是对个人能力和绩效结果的充分尊重。强调员工个人能力和绩效的宽带薪酬，与以岗定薪的传统薪酬模式并不冲突。事实上，这两种薪酬模式是互为补充的关系，它们从不同的方面反映和强调了薪酬设计的公平性原则。

实施宽带薪酬前，有 5 点事项需要注意。

1. 明确战略

实施宽带薪酬前，要明确公司战略、人力资源管理战略以及薪酬战略。明确这些战略，是实施宽带薪酬的前提。不明确战略就实施宽带薪酬，就像还不知道自己要去哪儿就出门开车，结果将会因为找不到方向而浪费时间。

2. 认清形势

薪酬管理人员一定要清楚，不是所有公司都适宜采用宽带薪酬模式。对于连传统的薪酬模式都实施得不好的公司来说，其更不适宜盲目引入宽带薪酬模式。

薪酬管理人员要认清行业特点和竞争对手的情况，同时要注意公司的个性化特点，根据组织结构以及不同层次人员的多样化需求来设计符合公司特点和需求的薪酬方案，而不能简单地用宽带或窄带来定义或设计公司的薪酬制度。

3. 结合机构

宽带薪酬与组织机构的联系非常紧密，二者之间是相互促进、相互补充的关系。在实施宽带薪酬前，应当审视组织机构层面的变化，将宽带薪酬的实施与公司管理方式的变化、组织结构的优化相结合。

4. 注意方法

薪酬管理人员应具备人力资源管理和薪酬管理的基础知识和能力，要合理划分薪酬的带宽和上下限，根据不同的类别层级特点设计薪酬方案。同时要做好制定任职资格和工资等级的评定标准等基础工作。

5. 征求意见

在宽带薪酬政策出台前，要广泛征求公司各方的意见，吸取各方意见中有价值的部分并及时做出调整。对于不采纳的意见，也应在宣导时做出必要解释。要设计薪酬政策的试行期作为过渡期，以免大面积铺开造成的混乱与不适应。在过渡期

第5章 绩效管理工具选择和应用案例

有些公司的绩效管理人员的绩效考核工作没做好，没有从绩效管理体系层面找原因，也没有从绩效管理工作质量层面找原因，而是埋怨公司采用的绩效管理工具不好，或是埋怨公司的绩效管理工具已经过时了。实际上，每种绩效管理工具都有其适用性，盲目跟风不一定能取得好结果，适合的才是最好的。

5.1 问题梳理：是工具的问题吗

E 公司是一家财务管控型的大型制造业集团公司，集团公司共有 6 000 余人，下设 20 余家子公司，各子公司分别从事不同的关联产业。

E 公司的生产经营状况比较稳定，之前一直采用 KPI 作为绩效管理工具实施绩效考核。随着市场环境变化，E 公司业绩逐年下滑。在召开内部会议找原因时，E 公司分管互联网业务的高层管理者提出当前公司运用 KPI 做绩效考核的做法太落后了，应采用当下比较流行的 OKR。

然而，事情果真如此吗？如果是，如何有效实施 OKR 呢？如果不是，如何用好 KPI 呢？除此之外，还有没有别的绩效管理工具？又该如何应用呢？

5.1.1 问题背景：其实没有哪个工具更先进

E 公司向笔者团队提出咨询项目需求时，提到了绩效考核低效、绩效考核过时、业绩降低与绩效考核有关、KPI、OKR、BSC 等内容。受一位高层管理者的影响，E 公司内很多人认为目前公司正实施的 KPI 已经过时了，应当实施 OKR。

不知道从什么时候开始，业内流传着这样一种说法——OKR 比 KPI 更先进，或者 KPI 已经过时了，是 20 世纪的产物，OKR 才是每个公司应该采用的绩效管理工具。

受这种思想的影响，很多人纷纷抛弃 KPI，投入 OKR 的怀抱，甚至有人开始大肆批评 KPI 的落后。可事实真的是这样吗？

强调领导力的核心能力，也就是给下属制定绩效目标，并且帮助下属完成这个目标的能力。

阿里巴巴公司在创业期和快速发展期，内部应用的绩效管理工具正是 KPI。KPI 并不是过时的工具。正确认识 KPI，用好 KPI，可以助力公司发展。

小米公司曾经有段时间不强调 KPI。小米公司的主要创始人雷军曾经提出“开心就好”，对手机的销量不做强调。结果在 2016 年时，小米手机的销量出现问题。

2017 年 1 月，雷军在小米公司年会上发表演讲，提出了销售破千亿元的指标，并确定开零售店的计划。雷军当时表示，在未来3年，小米公司要开设1 000家小米之家。雷军说的小米公司的目标，其实还是属于KPI的范畴。后来，小米公司的手机销量有所好转。

事实上，绩效管理是一种非常古老的管理方法。可以说自从人类出现大规模的协作劳动开始，就有了绩效管理的思想雏形。例如，秦汉时期的考课制度，就是通过对官员政绩的考察，决定对官员的赏罚；商鞅变法中的赏罚制度，本质上也是一种绩效考核方法。从古代到现代，绩效管理的本质其实并没有发生比较大的变化。

不论是OKR还是KPI，都是绩效管理工具，有各自的应用场景。如果正确应用这两种工具，它们在核心方法上都不会脱离绩效管理的基本框架，也不会影响绩效管理的核心理念，更不会改变绩效管理的本质。

5.1.2　问题模型：为什么做绩效管理

绩效管理做不好，可以回到绩效管理的本源去发现问题和查找原因。公司究竟为什么要实施绩效管理呢？

绩效管理的核心作用，是在追求公司资源消耗最小化的前提下，在满足效率的前提下，追求组织结果和价值的最大化。在此过程中，组织通过对员工的持续激励和反馈机制，创造和保持良好的组织氛围，同时强化自身的竞争优势。

举例

管理学上有个著名的林格尔曼效应，来源于法国农业工程师迈克西米连·林格尔曼（1861—1931）的“拉绳子”实验。林格尔曼让力气相近的不同数量的人拉绳子，然后测量拉绳子的拉力和平均每个人的拉力。

结果发现，参与的人数越多，平均1个人的拉力反而越少。8个人一起拉绳子时，平均拉力变成了原来1个人拉绳子拉力的一半左右。也就是说，8个人一起拉绳子的实际拉力，几乎相当于4个人分别拉绳子的拉力之和。也就是出现了“1+1＜2”的奇怪现象。

这个著名的实验从心理学的角度讲，可能说明人们倾向于单独作战时能够竭尽全力，但到了集体中时，更倾向于把责任分解和扩散到团队中的其他人身上；从物理学的角度讲，8个人同时拉绳子时，很难做到向毫无偏差的同一个角度用力，于是会出现力的消减，让单一方向上的拉力小于每个人实际的拉力之和。

总之，林格尔曼效应是集体劳动的一个普遍特征。在集体劳动中，虽然团队的总目标是一致的，但在劳动过程中难免出现推卸责任的现象。

通过林格尔曼效应反观公司的经营管理实务，公司的人员数量越多，每个员工对公司的贡献越难划分清楚，这时员工个体对公司目标和任务的责任感就越小。

这时如果没有一套有效的管理机制来连接组织和员工的目标，员工将感到自己对公司的贡献可大可小、可有可无，员工很容易付出较少的努力。

如何增加集体劳动中员工为组织创造的价值和贡献呢？

比较常见且有效的方法是激发员工的积极性和潜能。例如当一个人面对一条长长的沟时，同样的距离，在平时跳过去可能会比较吃力，但当这个人背后有几只饿狼在拼命追赶他时，他却会在奔跑中不自觉地轻松跨过这条沟。

人们拥有自己不知道的巨大潜力，如果没有被刺激和激励，这种潜力不会发挥出来。在公司中，长久有效的激励手段是建立权责利对等的人才任用体系以及人才工作评价体系。公司检查什么，员工就会做什么；公司衡量什么，最终就会得到什么。

绩效管理在公司中可以从以下 3 个方面发挥作用。

1. 战略方面

通过对组织战略目标的层层分解，组织能够把绩效指标和行动计划落实到员工的个人层面，从而把员工的日常工作活动与组织战略目标连接在一起。当员工达成绩效目标时，组织的绩效目标也能够达成。

2. 管理方面

绩效管理的推进和实施，能够全面提升公司的管理质量，能够在机构与岗位的设置、员工晋升、员工调岗、员工任免、员工薪酬升降等各类管理决策中为公司提供必要的信息和有利的依据。

3. 发展方面

绩效考核的结果，能够反映出员工在素质、能力和业绩方面的差异。员工对这些项目进行有针对性的查漏补缺，能够逐渐帮助公司实现人力资本的增值，为公司的持续发展奠定基础。

5.1.3 问题根源：绩效管理作用原理

薪酬与绩效组合在一起就像是一把尺子，薪酬是这把尺子的形态，绩效是这把尺子的刻度。有了绩效，公司才能够有效度量员工的表现，准确评价员工的业绩贡献。公司针对员工不同的绩效，有针对性地给予薪酬激励，能够增强激励效果。

薪酬和绩效需要紧密联系在一起，二者相互作用，相互促进，相辅相成，缺一不可。薪酬与绩效对人才的作用如图 5-1 所示。

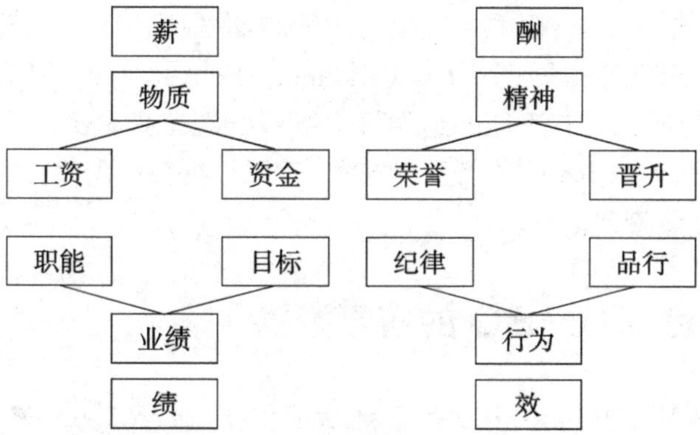

图 5-1　薪酬与绩效对人才的作用

在公司中有效应用绩效管理，公司、管理者和员工都能收获相应的回报。

1. 对公司

绩效管理能够将公司的目标与员工的目标相关联，通过员工持续完成目标，公司的目标得以完成，公司生产经营的效率得以提升，公司员工整体的士气也能得以提升。同时，通过绩效管理，公司也具备了评判员工的依据。

2. 对管理者

绩效管理能够使管理者不必介入员工所有正在进行的事务，通过有效的绩效辅导，管理者可以帮助员工自我决策，从而节省管理者的时间。绩效管理可以减少员工之间因职责不清、分工不明而产生的误解，降低管理者的管理难度。绩效管理可以通过帮助员工找到错误和低效率的原因来减少错误和提高效率。

3. 对员工

绩效考核的结果直接决定了员工的绩效工资和奖金。针对员工不同的绩效表现，公司和管理者及时给予其相对应的薪酬奖励，能够合理地引导员工的工作行为，确保员工目标与组织目标的一致性。同时提高员工的积极性，促使员工能力、效率和业绩的持续提升。

绩效管理能够帮助员工了解自己工作的优势以及存在的不足，明确自己的权利和义务。通过绩效管理，员工有机会学习新技能，不断提升个人能力；能够及时了解管理者对自己的看法和意见；能够及时得到完成工作所需要的资源支持。

5.2　问题分析：选择适合的绩效管理工具

常见的绩效管理工具有5种，分别是目标管理（Management by Objective,

MBO）、关键绩效指标（KPI）、目标与关键成果（OKR）、关键成功因素（Key Success Factor，KSF）、平衡计分卡（Balanced Score Card，BSC）。

不同的绩效管理工具有不同的适用性。绩效管理工具本身没有优劣之分，只有适合或不适合。公司在选择绩效管理工具时，可以根据公司需要、岗位需要、情境需要，选择适合的绩效管理工具。

5.2.1 实现目标：MBO 的应用场景

从公司成长周期的角度，MBO 比较适合应用在成长期的公司。在成长期，公司规模开始迅速扩张，经营目标逐渐明确，逐渐形成清晰的战略，公司需要自上而下协同努力，共同实现战略。这时，通过绩效管理统一各部门的目标、提高各部门的效率就显得非常重要。

MBO 特别强调目标的达成情况，从行业和岗位的角度，MBO 比较适用于强调工作成绩、重视业绩结果的行业或岗位。从行业角度，MBO 比较适合销售贸易类行业、零售批发类行业、外贸进出口行业等类别的行业。从岗位角度，MBO 比较适合产品销售类、市场开发类、业务拓展类等类别的岗位。

MBO 并不强调公司对员工的“控制”，而是强调员工为了达成本岗位的目标，应该做好自我管理。在实施 MBO 的时候，管理者应当尝试激发员工的积极主动性，让员工具备完成目标的内生动力。

与其他绩效管理工具一样，MBO 也并不是完美的绩效管理工具，MBO 有相应的优点和缺点。

MBO 的优点如下。

（1）能够帮助公司、部门和员工明确工作任务和目标，让工作有方向。

（2）能够切实提高公司的管理效率，保证员工达成岗位目标。

（3）通过岗位目标完成情况的对比，能让公司内部管理有效实施。

（4）通过目标和奖罚之间的关联，能够形成有效的正负激励。

（5）通过明确岗位具体目标，可以帮助员工实现自我管理。

MBO 可能存在的缺点如下。

（1）对各级管理者要求较高，需要各级管理者不断帮助员工设定和调整目标。

（2）公司在实际运用的时候，常常强调实现短期目标，对公司的长远发展不利。

（3）对某些岗位来说，有时候目标设置比较困难，难以选定或难以量化。

（4）有时候，目标在执行的过程中很难改变，无法适应变化的环境。

（5）如果员工不知道为什么达成目标，或达成目标的好处，将不利于目标达成。

MBO 强调目标，而 KPI 也强调目标，与 KPI 相比，MBO 有哪些特点呢？ MBO 和 KPI 有很多类似之处，却也存在比较明显的差异。

1. 目标属性不同

从目标设置的属性来说，MBO 和 KPI 虽然都有定目标的含义，但是 KPI 制定的目标通常比较具有策略性，也就是制定 KPI 通常是为了实现公司的某一个重大目标。制定 KPI 时，通常需要参考公司的愿景、战略、价值观，层层向下分解。

但 MBO 并不全然如此，MBO 有时候可以和 KPI 一样，是为了实现公司某个重大的目标而自上而下层层分解目标；有时候是为了给员工平时职责范围内的例行工作制定目标。MBO 制定目标的方式和应用场景更加灵活。

对于很多基层岗位来说（比如前台接待、行政助理、操作工人等），制定目标的时候，不需要过分考虑公司目标，更多需要考虑的是如何把自身岗位职责范围内的工作做好，可以直接以工作职责为基准，制定岗位的目标。

KPI 的目标更注重关键结果；MBO 的目标可以注重结果，也可以注重过程。KPI 更在乎岗位目标完成后，能给公司目标带来多大的贡献；MBO 可以在乎对公司目标的贡献，也可以在乎岗位职责范围内的工作的完成情况。

2. 日标周期不同

从目标设置的周期来说，KPI 的目标多是以月度、季度和年度为单位，一般以年度为单位的居多。而且，存在岗位层级越低，KPI 的时间周期越短，岗位层级越高，KPI 的时间周期越长的规律。

MBO 的目标虽然也遵循岗位层级越低，时间周期越短，岗位层级越高，时间周期越长的规律，但 MBO 的日标设置最短可以天为单位，以周为单位也比较常见，这一点与常见 KPI 目标的时间周期有所不同。

3. 对成果的重视程度不同

MBO 是所有绩效管理工具中最重视成果的一种。工作成果是否达成代表着工作目标是否完成，MBO 强调用工作的成果来评判工作的价值。当运用 MBO 时，岗位权责利中的责任将会非常明确，对岗位职责范围内的工作完成情况的判断也会比较准确。

4. 应用范围不同

MBO 特别强调员工的上级管理者在绩效管理中的作用。KPI、KSF 和 BSC 都不乏非岗位的直属上级对岗位设定目标、做岗位的考核与评价的情况。MBO 虽然也有这种情况，但在大多数情况下，MBO 中的岗位目标从设计到评估的全过程是在岗位直属上级和员工之间完成的。

5.2.2　突出重点：KPI 的应用场景

KPI 不适合所有公司，也不适合所有岗位，KPI 并不是万能的绩效管理工具。

在应用的过程中，KPI 的优点主要如下。

（1）考核目标明确，有利于公司战略目标的实现。通过对公司战略目标的层层分解，通过 KPI 的整合和控制，让员工的行为达到与企业要求的行为相吻合。

（2）关注客户价值，有利于公司促进各岗位形成市场导向的经营理念。

（3）有利于把组织利益和个人利益绑定在一起，员工实现个人目标的同时也可以促进公司目标的实现。

KPI 可能的缺点主要如下。

（1）KPI 比较难界定。界定 KPI 需要公司自身具备一定的管理基础和管理能力。KPI 的界定如果出问题，不仅可能会引起员工反感，降低员工的积极性，起不到提升岗位绩效的作用，而且可能会让员工找错努力方向，不利于公司整体的绩效提升。

（2）KPI 更多是量化指标，这些量化指标有时候理论上能帮助员工更好地完成自己的工作，但最终却不一定会对公司的绩效产生积极影响。在微观上对岗位有利的指标，在宏观上不一定对公司也是有利的。

（3）KPI 容易让考核人陷入一种机械、死板的考核方式，给被考核人强压 KPI，过分强调 KPI 是否达成，而不考虑一些环境因素、弹性因素及主观因素，上下级之间缺乏必要的沟通，容易让考核产生争议。

从公司发展周期的角度，KPI 比较适合处在成熟期的公司运用。从行业属性的角度，KPI 比较适合运用在业务发展比较稳定、变化不大的行业，比如生产制造业。从岗位属性的角度，KPI 比较适合运用在工作比较容易被量化、工作内容比较稳定的岗位。

当出现如下 3 类问题时，公司可以考虑应用 KPI。

1. 目标一致的问题

当员工所在岗位的目标和公司的目标不一致时，公司可以运用 KPI 梳理公司的目标和岗位目标的关系，为岗位设计能够承接公司目标的 KPI，让员工的努力能够承载公司的战略。

2. 工作方向的问题

当员工找不到工作的方向，抓不住工作的重点时，公司可以运用 KPI 查找岗位的关键价值成果，帮助员工明确工作的重心，帮助员工找到努力的方向，让员工的工作效率得到提升。

3. 员工激励的问题

当公司不知道什么样的员工应该获得晋升，什么样的员工应该获得薪酬提高，哪些员工是公司的核心员工，哪些员工需要发展什么样的能力时，可以通过员工 KPI 的完成情况判断。

5.2.3 迎接挑战：OKR 的应用场景

从公司的发展周期来说，处在初创期的公司比较适合采取 OKR。从行业的角度，

OKR 比较适用于互联网行业，或者变化速度比较快的行业。从岗位的角度，OKR 比较适用于工作内容变化比较快、需要不断创新的岗位，比如技术研发类岗位。

从 OKR 的实际应用情况来看，其在互联网行业的应用最为广泛。互联网行业通过应用 OKR，让自身的经营管理更加灵活，从而应对市场的快速变化。除了互联网行业，技术密集型行业、知识密集型行业，也比较适合采用 OKR。

许多传统产业的公司正在向新兴产业开展业务渗透和实施战略转型，例如原本以生产制造为主的公司正在成立网店，做网络直播销售，通过互联网接触终端消费者，创建品牌。对新业务、新产业的绩效管理同样可以采取 OKR，保证公司上下目标协同。

当公司出现如下情况时，可以考虑实施 OKR。

（1）市场的发展变化比较快，公司需要根据市场变化及时做出调整。

（2）产品迭代的速度比较快，技术的发展更新速度较快，需要公司持续创新。

（3）公司扩张的速度比较快，规模迅速扩大，日新月异，需要员工适应这种变化。

（4）公司实施项目团队运作的组织模式，部门的边界不明显，团队成员的职责不清晰，以共同完成某个任务为目标。

（5）团队成员中，年轻人的比例比较高，他们不喜欢强压式的管理模式，不喜欢被束缚，希望在工作上获得一定的自主权。

对于不同人数规模的公司，OKR 的主要作用也是不同的，如表 5-1 所示。

表 5-1　不同人数规模公司 OKR 的主要作用差异

人数规模	OKR 的主要实施价值	OKR 侧重解决的问题
500 人以下	培养员工的绩效意识	增强团队凝聚力
500 ~ 2 000 人	帮助公司形成绩效管理体系	帮助实现公司发展目标
2 000 人以上	承接战略，形成绩效管理文化	激活员工队伍，鼓励员工创新

OKR 能够抓住工作的重点，所有与岗位相关的 O（目标）都有相应的 KR（关键结果）对应。被正确定义的 KR 能够对 O 形成比较直接的支持作用。实施 OKR 能够为整个公司带来 3 个方面的价值。

对于组织层面（公司层面）来说，实施 OKR 有助于形成以绩效为导向的组织文化；能够形成上级和下级就绩效问题持续沟通的组织氛围，提升上级的领导能力，提高下级的满意度和敬业度；有助于明确组织层面的目标与方向。

对于团队层面（部门层面）来说，实施 OKR 有助于团队内部上级和下级的双向沟通，保持团队内部行动的一致性；有助于定期查找问题，找到业绩增长点，及时调整工作方向；有助于保持团队的目标，让团队目标既能够支持战略，又能够为员工目标提供参考。

对于个人层面（岗位层面）来说，实施 OKR 有助于员工个人抓住工作的重点，明确工作的方向，让员工的行动更加聚焦；能够让员工的工作得到及时评价，有助于增强员工的信心；能够让员工的工作成果得到持续反馈，有助于增强员工的绩效意识，有助于员工个人能力的提升。

OKR 既有优点，也有缺点。与其他绩效管理工具相比，OKR 的优点主要包括 5 点。

（1）OKR 实施起来比较简单，每个团队或个人最多设置 5 个目标，每个目标一般包含 3 ~ 4 个关键结果。每个员工都能明确工作的重心，既有目标，又有完成目标的导向性，员工的目标感更强。而 KPI 一般是每个部门或岗位设置 5 ~ 8 个关键指标。

（2）OKR 比较透明，实施 OKR 的公司一般要求整个公司、全部部门、全部岗位的 O 和 KR 都是公开透明的。这种公开透明，让员工的思维跟得上公司的目标和团队的目标，以免某岗位人员因受原本的岗位职责或工作惯性所限而偏离方向。

公开透明的 O 和 KR 有助于增强员工的全局意识。上级与下级的 O 和 KR 关联比较紧密，更能体现公司上下一条心，拧成一股绳，强化公司整体的创新能力。实施其他绩效管理工具的时候，员工很难知道其他部门或岗位的指标。

（3）OKR 中目标的设置不仅强调顶层目标的分解，同时也非常强调基层员工的意见，基层员工的目标是由员工和管理者共同制定的。因为基层员工与直接客户的接触更紧密，对客户的需求更了解。

这样做能够充分调动员工的积极性，有助于促进员工主动执行，有助于让员工将对待工作的态度由“要我做”变成“我要做”。而有的绩效管理工具特别强调自上而下分解目标的过程，不重视自下而上的沟通，员工的参与感比较弱，员工被动执行的意味更强。

（4）OKR 中的 O 并不强调明确量化，甚至一些比较具有鼓动性的口号也可以作为目标。OKR 中的 KR 比较强调量化。其他的绩效管理工具普遍比较强调量化。

（5）OKR 剥离了员工直接利益因素，OKR 的结果通常不直接和绩效工资挂钩。OKR 系统让组织的工作重心由考核回归到了管理，更强调员工的行为纠偏和能力提升，这与其他的绩效管理工具，尤其是 KPI 大不相同。

OKR 同样存在缺点，OKR 的缺点主要包括 3 点。

（1）适用范围有限。OKR 并不适合所有的公司，对于一些生产经营非常稳定的公司，有时候实施其他的绩效管理工具更合适。

（2）OKR 特别强调绩效管理的过程管控，特别强调沟通，所以对管理者和员工的素质和能力都有一定要求。并不是所有员工都能快速理解和实施 OKR，在适合采取 OKR 的公司，有时候 OKR 的推行会因为管理者或员工能力的差异举步维艰。

（3）OKR 不把绩效结果与员工薪酬挂钩的做法是一把双刃剑。这样做可以在一定程度上激励员工创新，但在有些情况下，这样做反而会让员工失去对目标的敬畏，不容易达成目标。

5.2.4 聚焦薪酬：KSF 的应用场景

KSF 比较适合工作内容比较明确、关键输出结果量化程度比较高的岗位。一般来说，管理层级越高，绩效结果越偏向客观财务指标的岗位，越适合采取 KSF。

一些小微公司，尤其是一些创业公司，由于公司发展更强调员工要为公司贡献绩效结果，所以也比较适合采用 KSF。

但是对一些工作内容变化较频繁、关键输出结果难以量化、工作职责要求的分工协作较复杂的岗位来说，或者对一些岗位变化较快、岗位的职责 / 角色 / 定位变化较频繁的企业来说，KSF 并不适合。

KSF 虽然能够充分做到把公司和员工的利益绑定在一起，让员工觉得工作是为了自己，但并不是万能的绩效管理工具。

KSF 的优点如下。

（1）能够激活员工的原动力，激发员工的创造力。

（2）完全融合薪酬和绩效，充分挖掘员工的潜能。

（3）让全体员工都参与到公司经营中，利益共享。

（4）改变雇佣模式，让员工感到工作是为了自己。

（5）实现利益趋同，员工工资越高，公司效益也越好。

（6）评判员工创造的价值，真正地实现公司为结果付费。

KSF 的缺点如下。

（1）关键过程和结果要素的选取、设置比较困难，前期工作量和工作难度较大，有时候难以做到数据准确。这种方法对人力资源管理人员的素质和能力有一定的要求。

（2）对关键要素的选择不当、实施不当或者出现一些特殊情况的时候，这种方法可能反而会让员工工资减少，引起员工的反感。

（3）员工对 KSF 的理解和认识可能存在一定偏差，有的员工觉得是好事，有的员工可能会觉得被公司欺骗。所以要实施的话，在公司范围内还需要有一定的宣传和引导。

另外，KSF 本身并没有解决员工是为了完成绩效目标而努力的问题。KSF 如果实施不当，同样很容易让员工陷入围绕 KSF 的考核指标而工作的局面。

例如，有的公司实施 KSF，员工的工作重心都落在了超额完成 KSF 的考核指标上，员工每天想到的都是如何通过 KSF 获得更高的薪酬。一些临时的、重要的、对公司有利但没有写入 KSF 的工作，员工很可能视而不见。要改变这种情况，公司在应用 KSF 的时候要注意绩效管理程序的应用。

很多采用 KPI 的公司，采取的绩效考核模式是公司给员工定指标、定目标、压任务、做考核。绩效考核的重心变成了给员工压力，强调绩效目标的强制性，迫使员工完成目标，使员工产生反感。

可是采取这种绩效考核模式的公司在薪酬设置方面却常常无法跟进。这类公司通常将员工薪酬的一部分（比如 20%）作为绩效工资：当员工完成目标的时候，通常获得的绩效工资不多；当员工没有完成目标的时候，绩效工资减少得也不多。

和更强调岗位绩效目标的 KPI 相比，KSF 更趋向于价值分配和员工激励，是从薪酬发放的源头上寻找员工激励的落脚点。KSF 通过全面融合薪酬与绩效，能够充分挖掘员工的潜能，让员工充分参与到公司的价值分配中，因此也更容易让员工接受。

5.2.5 达成战略：BSC 的应用场景

相比于其他的绩效管理工具，BSC 是相对比较复杂的。并不是所有公司都适合采用 BSC。

按照公司的发展周期，业务已经比较成熟，外部市场相对较稳定，内部各岗位的工作相对平稳，处在成长期或成熟期的公司更适合运用 BSC。

如果公司已经有 5 年以上的绩效管理经验，公司整体对绩效管理的方法和理念比较熟悉，这时也可以借鉴 BSC 的操作逻辑，让岗位的绩效指标更加多元。

BSC 特别强调对战略目标的承接和分解，特别强调要实现战略目标，需要做好哪些维度的工作。公司采用 BSC，有助于实现战略目标。对于不同公司的不同需求，BSC 可以发挥不同的作用。

1. 业务转型的公司

对处于业务转型阶段的公司来说，其可以利用 BSC 实现传统业务与新战略的衔接。例如许多传统产业处在新旧动能转换阶段，公司有了新的战略发展方向，正在大力发展新业务线。这时，BSC 有助于公司理清实现战略目标需要的相关指标。

2. 管理升级的公司

对于一些绩效管理基础比较差，绩效管理不能支持公司战略的公司来说，其可以把 BSC 作为落实战略的工具。通过采用 BSC，让各岗位的工作和公司战略之间的关联性更强，公司能更好地完成战略目标。

3. 绩效改善的公司

对于绩效比较差的公司来说，BSC 可以作为公司目标体系建设、业绩控制、绩效衡量的有效工具。公司可以通过采用 BSC 对绩效目标进行层层分解，发现绩效存在问题的环节，提高岗位人员的绩效水平，从而提高公司的绩效水平。

BSC 的优点主要包括 3 点。

（1）BSC 对战略和目标的分解和细化更细致。BSC 对战略的分解比其他的绩效管理工具更加清晰。

（2）BSC 能够更好地把公司的战略目标落实到部门的具体工作中。BSC 对战略的分解，能够使战略目标实现的路径更清晰，让部门的工作重点更明确。

（3）BSC 不仅有助于实现公司的短期目标，还有助于实现公司更长远的目标，能让公司的短期利益和长期利益相结合。

BSC 的缺点主要包括 3 点。

（1）实施 BSC 的难度较大，BSC 对实施者的能力有比较高的要求。要实施 BSC，最好找具备相关项目实施经验的人才。

（2）实施 BSC 的工作量大，BSC 不适合期望“短、平、快”地达到绩效考核目的的公司。

（3）BSC 对顶层战略目标的分解比较清晰，比较适合用来把目标分解到部门。但到了具体岗位层面，在设计每个岗位具体要负责什么工作、需要达到什么标准，以及从事该岗位需要什么条件的时候，运用 BSC 比较困难。

5.3 解决方案：不同绩效管理工具如何应用

E 公司是集团化公司，下设的子公司较多，涉及的业务种类和岗位类别也较多。对于不同的业务类型和不同的岗位，可以采用适合的、不同的绩效管理工具。正确运用，才能让绩效管理工具有效落地。

5.3.1 目标管理：MBO 的应用方法

MBO 最早是由管理大师彼得·德鲁克在 1954 年提出的。德鲁克指出，公司的使命和任务，必须转化为目标。并不是因为有工作才有目标，而是因为有目标才有了工作岗位。

管理者应该通过目标管理下级，当组织目标确定后，各级管理者必须将其有效分解，转变成每个部门和岗位的子目标。组织中的各级管理者根据部门和岗位子目标的完成情况对下级实施评价、考核和奖惩。

MBO 的实施逻辑，类似 PDCA（P 指 Plan，计划；D 指 Do，执行；C 指 Check，检查；A 指 Act，处理）循环，是一个设定目标、执行目标、评估目标和改进目标的循环管理过程，如图 5-2 所示。

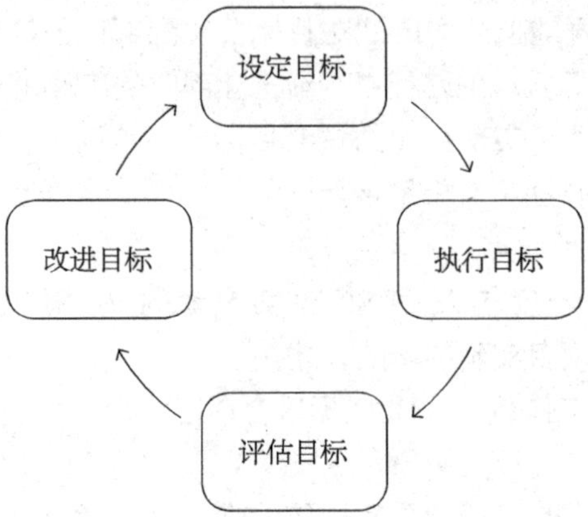

图 5-2　MBO 的实施逻辑

1. 设定目标

设定目标是实施 MBO 的第 1 步，也是整个 MBO 实施逻辑的核心环节。MBO 强调对目标的管理，目标是整个 MBO 管理的灵魂。在公司中实施 MBO，首先要保证公司和部门有对应的目标，更重要的，是保证各岗位要有目标。

2. 执行目标

执行目标是实施 MBO 的第 2 步，是保障目标落地的关键步骤。有目标才有前进的方向，要达成目标，免不了要有努力的过程。如果设定目标之后，相关岗位的员工不重视目标，不围绕目标工作，目标将会形同虚设。

3. 评估目标

评估目标是实施 MBO 的第 3 步，是评价目标完成情况的重要环节。公司需要对目标是否达成进行评价；为了更好地达成目标，需要进行复盘。通过评价与复盘，公司判断目标的完成情况，为下一步分析改进做好准备和提供依据。

4. 改进目标

改进目标是实施 MBO 的第 4 步，是绩效提升和岗位人员能力发展的有力保障。不论目标是否达成，都涉及目标的改进。当目标达成时，公司和员工可以评估目标达成的原因，判断是否存在提升的空间；当目标未达成时，公司和员工可以评估目标改进的方法，寻求达成目标。

从组织发展的角度，虽然 MBO 的整个实施逻辑是围绕目标展开的，但 MBO 并非只关心目标。公司在运用 MBO 的时候，要将其与绩效管理程序相匹配。

MBO 中的目标，实际上是把组织层面的目标分解到岗位层面的目标，把大目标分解成小目标。组织在实现目标的过程中，既要关心组织层面的价值，又要关心员工个人的价值，实现组织与员工的双赢。

为了更好地设定目标，实施 MBO 的过程需要对战略分解；为了更好地执行目标，实施 MBO 时要关心员工的工作环境；为了更好地评估目标，实施 MBO 时要了解公司整体状况；为了更好地改进目标，实施 MBO 时也要关心员工的个人成长与职业发展。

从管理者的角度，实施 MBO 并不代表可以一言堂式地给员工强加目标，也不代表只能被动等待或接受员工为自身岗位设定的目标，而是应当和员工一起设定符合岗位实际的目标。

在员工执行目标的过程中，如果员工的能力离完成目标有一定差距，管理者要适时地辅导员工。如果员工为了实现目标需要某种资源支持，管理者应当视情况帮助员工获取资源。

MBO 强调员工的上级管理者和员工一起定期检查、评估目标的完成情况，并持续将结果反馈给员工。在整个过程中，上级管理者要持续地引导员工自己评价预先设定好的目标，鼓励员工树立自我发展的意识，激发员工的内生动力。

从员工的角度，要尊重 MBO 的目标，积极配合公司设定和执行本岗位的目标。通过不断达成岗位目标，员工能够获得能力成长与价值变现。

公司通过 MBO 的实施逻辑，不断为岗位设定目标并改进目标，有助于管理岗位的工作成果，评价岗位的工作成效，让各岗位的绩效不断提升。随着目标不断达成，岗位的目标能够不断提升，如图 5-3 所示。

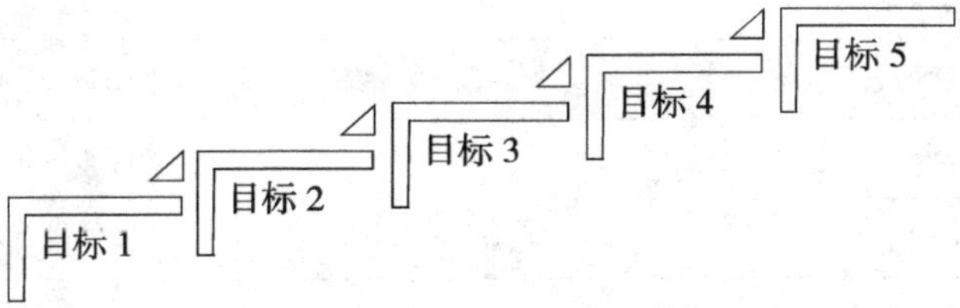

图 5-3　公司实施 MBO 后目标发展情况

岗位目标提升的过程同样类似 PDCA 循环。当较低水平的目标达成时，公司经过总结复盘，可以尝试追求较高水平的目标；当较高水平的目标达成时，公司经过继续总结复盘，可以达成更高水平的目标。

随着不断达成新的目标，持续总结复盘，岗位员工能够不断达成更高的目标，为公司创造更大的价值。

举例

某公司运营总监的主要职责包括如下内容。

（1）根据公司战略，制定公司整体营销工作的长短期规划。

（2）制定全年每月各部门预算，分解下发各部门，并组织实施。

（3）建立公司多业态营运组织架构与管理体系和品牌营运策略。

（4）公司营运标准与流程的制定与规范。

（5）会员积分兑换政策、招商流程、租赁商与联营商现场管理规范的制定。

（6）监督、检查各部门执行岗位职责和遵守行为规范。

（7）负责检查、监控门店的内部管理，认真执行公司营运标准流程。

（8）加强对门店营运费用的预算和管理，确保费用控制在公司规定的范围。

（9）根据门店实际管理状况下达整改通知，填写奖罚通知，根据权限按照程序执行。

（10）负责组织检查所属下级部门工作，做出评定，并定期上报。

（11）公司批准开店计划后，负责筹备新店、企划、人员配备、设备配置、营运、陈列、收货等相关工作的跟进到位，协调相关部门配合工作，保证新店按时开业。

（12）按工作程序做好与相关部门的横向联系，并及时对部门间争议提出界定要求。

（13）定期召开营运例会和门店经营会议，针对问题店制定整改方案报总经理。

（14）负责全公司设备的安全防范与应急处理工作。

该公司运营总监岗位的 MBO 如表 5-2 所示。

表 5-2　某公司运营总监岗位 MBO

序号	目标项目	20×× 年目标	20×× 年结果	权重	分数
1	总销售额			10%	
2	可比门店增长率			15%	
3	毛利率			10%	
4	运营成本			15%	
5	息税前利润率			5%	
6	新店开业数			5%	
7	员工劳效			10%	
8	人工费用率			15%	
9	损耗率			10%	
10	周转天数			5%	
总计				100.0%	

5.3.2　关键指标：KPI 的应用方法

KPI 指的是通过对组织内部流程的输入和输出的关键参数进行设置、取样、计算、分析，以衡量绩效的目标式量化管理指标，是组织实现战略目标需要的关键成功要素的归纳和提取，是常用来衡量不同部门或岗位人员绩效表现的量化指标。

KPI 通过把组织层面的发展方向和具体岗位的工作方向联系在一起，不仅为每个岗位明确了工作的方向，而且明确了工作的目标，形成岗位的 KPI。通过每个岗位完成自身的 KPI，公司能够实现战略目标。

实施 KPI 需要完善的系统，KPI 的组成要素包括如下内容。

1. 指标系统

KPI 包含 2 层含义，第 1 层含义是方向，第 2 层含义是目标。岗位的 KPI 本身表示岗位工作的方向，表明了岗位工作的重点和关键成果的输出。

每个岗位 KPI 对应的目标值，表明了岗位工作成果要达到的程度。所以每一个 KPI 既要有导向性，又要有目标值。

在一个公司当中，KPI 的指标系统分成组织的 KPI、部门的 KPI 和岗位的 KPI。KPI 的指标系统如图 5-4 所示。

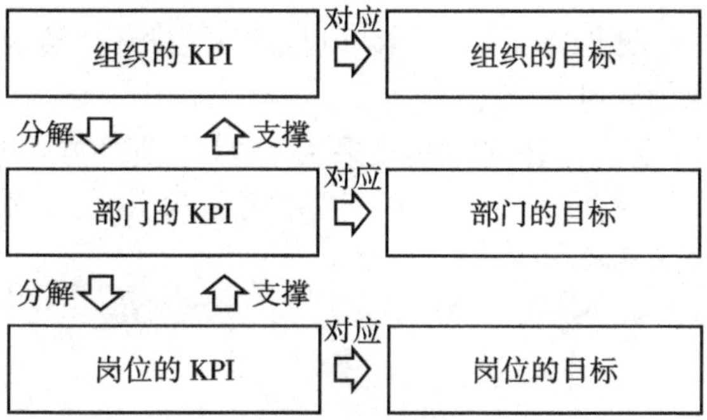

图 5-4 KPI 的指标系统示意图

组织的 KPI 对应着组织的目标；部门的 KPI 由组织的 KPI 分解而来，对组织的 KPI 起到支撑作用，对应着部门的目标；岗位的 KPI 由部门的 KPI 分解而来，对部门的 KPI 起到支撑作用，对应着岗位的目标。

组织的 KPI、部门的 KPI 和岗位的 KPI 共同组成了公司的 KPI 的指标系统。在一些管理咨询公司，随着绩效管理案例的积累，可以形成 KPI 的指标库。KPI 的指标库中可以包含不同层级、不同岗位类型、不同时间周期的指标类型。

举例

某公司组织层面的 KPI 分别为销售额达到 ×× 元，顾客数量达到 ×× 人，人均利润达到 ×× 元，成本控制在 ××%。

为了实现组织层面的 KPI，市场部门的 KPI 分别为销售增长率在 ××%，贷款回收率在 ××%，新增顾客数量达到 ×× 人，销售队伍总数控制在 ×× 人，营销费用率控制在 ××%，售后服务费用控制在 ××%。

为了实现部门层面的 KPI，销售业务员岗位的 KPI 分别为销售额达到 ×× 元，新增顾客数量达到 ×× 人，营销费用控制在 ×× 元。

2. 衡量系统

KPI 的组成要素除了指标系统，还要有配套的指标衡量系统。只有可衡量的指标，才能够被定性。衡量 KPI，是为了对岗位的工作成果实施评价，是为了得出员工绩效结果。

KPI 的衡量并不是人力资源部一个部门能够完成的，还需要关联部门的协作与支持。在 KPI 的衡量系统中，要明确指标数据结果的提供部门，要明确数据提供部门的具体职责。为保证数据提供部门履行职责，还要制定数据提供相关的奖罚政策。

在一般的公司中，数据提供部门可能包括财务中心、数据中心、信息中心等部门。数据提供部门的职责主要是提供绩效目标设定需要和实际完成情况的相关信息或数据，并做出必要的分析。

3. 应用系统

徙木立信、赏罚分明是绩效管理能够顺利实施并发挥作用的重要保障。衡量的下一步，是对 KPI 结果的应用。

KPI 的应用系统，是把 KPI 的评价结果应用到其他管理方式中的过程。根据“目标—承诺—结果—应用”的原则，在 KPI 的评价结果得出之后，公司可以根据绩效管理制度，进行相应的应用。

举例

某公司生产总监岗位的主要职责包括以下内容：

（1）组织、督促各车间按照生产计划保质保量地按时完成各项生产任务；

（2）及时掌握销售订单与发货的相关信息，监督生产，为销售服务，满足市场需求；

（3）协调销售部门，沟通生产情况；

（4）协调质量部门对车间原材料的试验工作、成品质量管理工作；

（5）协调工艺部门对工艺参数的试验工作；

（6）协调设备部门对生产设备的修理、保养工作；

（7）协调各个车间的生产管理需求。

该公司生产总监岗位的 KPI 如表 5-3 所示。

表 5-3 某公司生产总监岗位 KPI

考核指标			目标	总分占比	指标定义	数据提供形式	数据提供部门
主考核项（基准分 100 分）	定量指标	生产成本控制达成率	100%	25%	1- 生产成本 / 产值	财务报表	财务中心
		产品质量合格率	95%	20%	高于目标时：[1+（实际 - 目标）÷ 目标] × 100% 低于目标时：[1-（目标 - 实际）÷ 目标] × 100%	质量报告	质量管理部
		销售收入达成率	100%	15%	实际完成销售额 / 预算销售额	财务报表	财务中心
		人均劳效上升 人力费用率持平	100%	10%	人均劳效：年度销售额 ÷ 总人数 人力费用率：人力费用总额 ÷ 年度销售额 人均劳效和人力费用率各占 5% 人均劳效提升目标同销售额提升目标 人力费用率与上一年持平	人力资源报表	人力资源部
		净利润达成率	100%	5%	实际完成净利润 / 预算净利润	财务报表	财务中心
	定性指标	岗位职责履行	岗位职责	25%	总经理交办事务落实及执行率（20%） 设备技术改造（20%） 质量管理体系完善（20%） 外协加工（外协供应商管理，包括资格审核、主副配备等）（10%） 有效订单计划完成率（20%） 人才的培养与培训（10%）	总经理打分	总经理

考核指标			目标	每发生一次	指标定义	数据提供形式	数据提供部门
辅助考核项（加减分项）	定量指标	废旧物资利用率	同财务目标	每超过1%，扣2分	生产过程中废旧物资的再利用比率	财务报表	财务中心
		一线员工的离职率	20%	每超过1%，扣2分	企业主动淘汰的不算在内	离职率报表	人力资源部
		评级工伤人数	5人	每超过1人，扣5分	发生工伤后，参与伤残鉴定，构成伤残等级的人数	工伤统计报表	人力资源部
		重点人才保留率	70%	每超过10%，扣5分	上一年入职大学生及现有人才留下的比率，企业主动淘汰的不算在内	人力资源报表	人力资源部
		一般安全事故	2起	每超过1起，扣5分	除重大生产安全事故的，不包括工伤类事故；瞒报一票否决	安环报告	安环工程部
		生产过程中重大质量事故	0	−5	生产过程中发生事故，单次经济损失在10万元以上	质量报告	质量管理部
		生产质量问题引起顾客投诉	0	−5	经确认是我方生产质量原因造成的产品质量问题	质量报告	质量管理部
		重大失密事故	0	−5	涉密信息违规上传到信息系统或与互联网连接的计算机，造成泄密；密级文件丢失、被窃取造成泄密；携带秘密信息出境造成泄密；重要会议、活动出现泄密。事态严重，对公司安全、生产经营造成严重危害或威胁，造成较大社会影响对公司声誉产生影响，需要公司调度力量、资源应急处置的突发事件	失密核查报告	董事会办公室

续表

<table>
<tr><th colspan="2">考核指标</th><th>目标</th><th>每发生一次</th><th>指标定义</th><th>数据提供形式</th><th>数据提供部门</th></tr>
<tr><td rowspan="3">一票否决项（发生得分清零）</td><td>重大生产安全事故</td><td colspan="4">1. 造成 1 人以上（含 1 人）死亡的或造成 2 人以上（含 2 人）重伤的安全生产事故
2. 发生火灾事故，造成公司经济损失超过 20 万元的
3. 被安监部门、消防部门责令停产停业整顿的或被以上部门处以 20 万元以上罚款的
4. 损坏设备设施价值 100 万元以上或其他影响生产的因素造成经济损失 100 万元以上的</td><td>安环工程部</td></tr>
<tr><td>重大环境事故</td><td colspan="4">排放、倾倒危险废物构成严重环境污染的或被环保部门处以 5 万元以上罚款的</td><td>安环工程部</td></tr>
<tr><td>重大刑事、民事、行政等相关处罚</td><td colspan="4">受到重大刑事、民事、行政等相关处罚，金额超过 50 万元，或者被限制人身自由、限制和剥夺特定行为能力的</td><td>董事会办公室</td></tr>
</table>

应用 KPI 时要注意，KPI 的重点是 K（关键），原理是二八法则。运用 KPI，就要学着找出能带来 80%业绩的那 20%的关键点，然后聚焦。如果关键指标要抓，非关键指标也要抓，就比较容易出问题。

所有管理都是有成本的，什么都关心，什么都想抓，什么都想要，精力必然分散，最终很可能什么都没做好。

5.3.3 关键成果：OKR 的应用方法

OKR 的创始人是英特尔公司前 CEO 安德鲁 · S. 格罗夫（Andrew S. Grove）。

在 1976 年左右，英特尔公司面临着从存储器业务到处理器业务的转型，格罗夫为了让全员都明确工作的重心，提出高产出管理（High Output Management，HOM），开始在公司内推行 OKR。

OKR 把公司、团队和岗位的绩效成果分成 O（目标）和 KR（关键结果）两个部分。通过岗位 OKR 的达成保证团队 OKR 的达成，通过团队 OKR 的达成保证公司 OKR 的达成，从而达成公司的目标。

OKR 在应用的时候，可以分成 O、KR 和 T（任务）3 个部分。每个 O 都对应着不同的 KR，每个 KR 都对应着不同的 T。当 T 完成的时候，KR 也相应能够完成。当 KR 全部完成的时候，对应的 O 也应当能够全部完成。

OKR 的逻辑组成关系如图 5-5 所示。

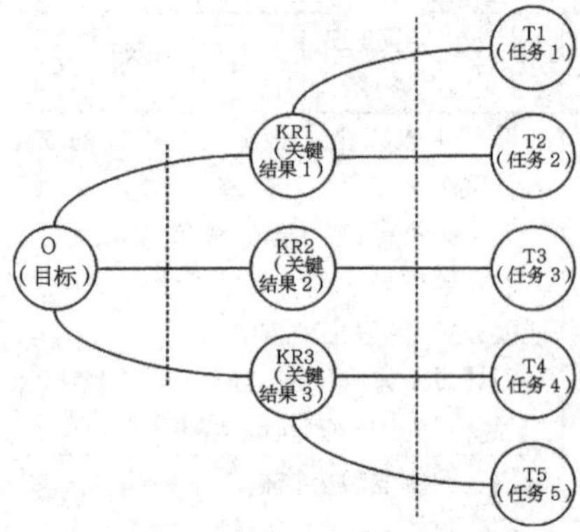

图 5-5　OKR 的逻辑组成关系

OKR 的逻辑组成关系就像一架火箭。O 就像火箭的头部，是火箭的关键部位；KR 就像火箭的助推器，起到承载火箭的作用；T 就像火箭的燃料，起到全面推进的作用。

1. O（目标）

OKR 中的 O 要遵循 SMART 原则，即具体的（Specific）、可以衡量的（Measurable）、可以达到的（Attainable）、与其他目标具有一定的相关性的（Relevant）、有明确截止期限的（Time-bound）。

这里需注意，OKR 中的 O 不必刻意追求定量，可以是定性的描述。有时候为了鼓舞团队的士气，O 可以是比较宽泛、比较宏观的目标。例如某互联网公司某 APP（应用程序）产品项目团队的目标是“在年底之前，在 × 领域，APP 产品的用户数量成为市场上最多的”。

这个目标虽然没有明确量化的数字，但也是比较具体的目标，遵循了 SMART 原则。而且“最多”比较具有挑战性，具有鼓励团队的性质。相比之下，如果该团队的目标改成“在年底之前，在 × 领域， APP 产品的用户数量超过 100 万人”，虽然有了明确的数字，但在鼓舞人心方面却逊色不少。

另外需注意，OKR 中的 O 不刻意追求量化并不代表能量化的时候故意不量化，也不代表为了鼓励团队士气，可以把目标定得不切实际。例如某公司当前在同类市场中与第 1 名公司的用户规模差 10 倍，却盲目地将公司目标设定为“在年底前，在 × 市场中成为用户规模最大的公司”。这种不切实际的目标对实施 OKR 并无益处。

OKR 中的 O 要能够为组织创造价值，要能鼓舞和促进团队达成目标，要是团队通过努力能够控制、可以达到的，要有明确的截止期限。

2. KR（关键结果）

KR 是能够保证 O 实现的结果指标。KR 同样应当遵循 SMART 原则。1 个 O 通常对应着 3 ~ 4 个 KR。多个 KR 也常被表示为 KRs（多个关键结果）。多个 O 与对应的 KRs 也常被表示为 OKRs（多个目标与关键结果）。

这里需注意，OKR 中的 O 可以定性描述，但 KRs 应当追求定量。KRs 是保证 O 实现的必要条件，对 O 的达成具有直接的支持作用。KRs 不必强调情感成分，而是越具体、越量化越好。

KRs 只需要关注关键项，而不需要把所有与 O 相关的事项全部列出。KRs 的内容要简单明了，要考虑到所有的可能性。对于公司层面的 KRs 来说，在设计的时候，要确定好责任人。描述 KRs 时最好使用积极正向的语言。例如“错误率达到 0”的 KR 描述，就不如“正确率达到 100%”的 KR 描述。

KR 是结果导向的，而不是行为导向的。所谓结果导向，指的是 KR 的输出物是结果，而不一定是某个具体行为。KR 或 KRs 同样要有具体的目标。也可以这样理解，O 是大目标，KRs 是目的，是完成大目标的多个不同的小目标。这些小目标分别从不同的角度，支持 O 这个大目标的达成。

3.T（任务）

OKR 要得到有效的实施，除了 O 和 KR，还要有 T 的支持。OKR 中的 T 是与 KR 对应的。要达成每个 KR，需要完成 KR 对应的 T。设计 T 的基本原则是 T 要对 KR 形成明显的支持作用，每一个 T 都来自某个 KR。

KR 与 T 之间并非一一对应。有时候，某个 KR 可能对应着多个 T，也就是要达成该 KR，需要完成多项任务。也有的 T 对应着多个 KR，也就是完成某个任务对多个 KR 都具有支持作用。

OKR 在运用的时候，在公司和部门或团队的层面，一般不体现 T，主要体现 O 和 KR。但到了岗位层面，因为关系着绩效落地，需要体现 T。T 经常是以岗位层面的任务计划或行动计划的形式出现的。

举例

某互联网公司的主营业务是某领域的功能性 APP，产品在国内同领域内具有一定的影响力，以月度为单位实施 OKR。该公司的总经理岗位负责统筹公司的产品开发，管理公司的经营发展，保障公司的平稳运营。

该互联网公司总经理岗位 OKR 如表 5-4 所示。

表 5-4　某互联网公司总经理岗位 OKR

O 序号	O 内容	O 权重	KRs	KRs 内容	KRs 权重
O1	月底前，继续保持在中国同类市场中用户数量最多的产品地位	40%	KR1	月底前，总用户数量达到 1 000 万人	20%
			KR2	月底前，日均活跃用户数量保持在 50 万人以上	40%
			KR3	月底前，软件总下载量达到 3 000 万次以上	40%

续表

O 序号	O 内容	O 权重	KRs	KRs 内容	KRs 权重
O2	月底前，产品进入东南亚市场，成为东南亚同类产品的前 3 名	20%	KR1	月初完成全部东南亚产品的测试工作，保证产品达到上架标准，并保证产品全面在东南亚 APP 市场上架	20%
			KR2	月底前，新产品上架推广活动获得 200 万次的下载量	20%
			KR3	月底前，在东南亚获得 100 万人的总用户数	30%
			KR4	产品上架后一个月内，下载量超过 400 万次	30%
O3	月底前，继续保持中国同类市场中最高的客户满意度	20%	KR1	各主要 APP 产品评分的平均分保持在 4.0 分以上（满分 5 分）	50%
			KR2	× 机构（某 APP 权威评分机构）对公司 APP 的打分达到 8.5 分以上（满分 10 分）	30%
			KR3	主要产品评价网站对 APP 产品的好评率达到 85%	20%
O4	月底前，保证新产品成功发布，成为中国同类市场中最佳新品	20%	KR1	月初完成全部新产品的测试工作，保证新产品达到上架标准，并保证新产品在中国全面上架	20%
			KR2	月底前，召开新品发布会。发布会保证有 × 家主要媒体到场，新品发布会相关视频报道的总点击量达到 ×，阅读量达到 ×	20%
			KR3	月底前，新产品获得 150 万人的总用户数	20%
			KR4	新产品上架后一个月内，下载量达到 500 万次	40%

5.3.4 导向成功：KSF 的应用方法

KSF，也叫薪酬全绩效模式，是一种对员工创造价值实施激励的绩效管理工具。KSF 能把员工的薪酬和公司想要的绩效进行融合，寻找两者之间关注的平衡点，从而让员工和公司之间形成利益共同体，实现共创和共赢。

KSF 一方面着眼于公司绩效的改善，另一方面致力于提高员工的收入。KSF 通过从员工的外源动力到内源动力的开发，增强对员工的利益驱动，强调让员工为自己工作，为了公司和员工共同的目标而工作。所以，KSF 既是绩效优化的方案，也是员工薪酬改革的方案。当每一个员工都拿到高薪时，公司的业绩目标也必然超额达成。

KSF 模式的关键组成要素包含 4 类，如图 5-6 所示。

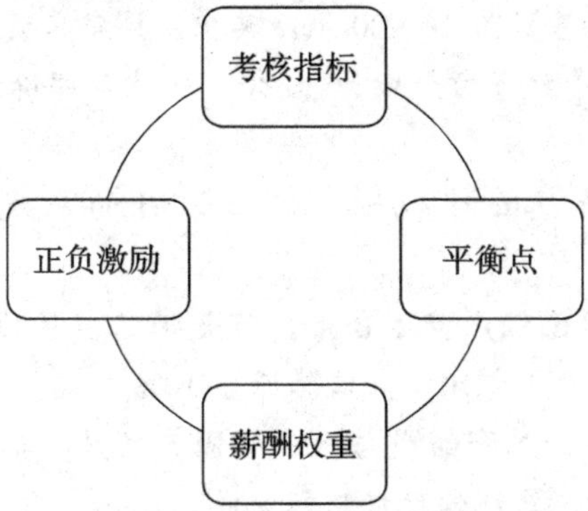

图 5-6　KSF 模式的关键组成要素

1. 考核指标

KSF 的考核指标是岗位的关键业绩结果，是公司期望岗位实现的最重要的输出价值。在设计 KSF 的考核指标时，应当着重考虑岗位存在的核心价值结果，而不仅是岗位的职责。一般来说，一个岗位 KSF 考核指标的设置数量应控制在 5 ～ 8 项。

2. 平衡点

平衡点指的是 KSF 考核指标的平衡点，含义是在通常状态下，岗位的 KSF 考核指标应实现的目标值。当某岗位的某项 KSF 考核指标达到平衡点时，该项考核指标对应的薪酬达到一般水平；当某岗位的某项 KSF 考核指标大于或小于平衡点时，该项考核指标对应的薪酬水平也将对应高于或低于一般水平。

3. 薪酬权重

薪酬权重是 KSF 考核指标对应的薪酬值以及各 KSF 考核指标薪酬值占总薪酬（达到平衡点时）的比例。薪酬的权重一般应根据 KSF 考核指标的重要性来划分，实际上也是 KSF 考核指标的权重。

4. 正负激励

正负激励的含义是在 KSF 考核指标平衡点的基础上，增加或减少一定程度后，岗位获得薪酬增加或减少的具体规则。有的 KSF 考核指标既有正激励，也有负激励，有的只有某一种激励。

除了以上 4 个要素，公司实施 KSF 还需要注意一些实施细节和配套条件。例如在设置 KSF 考核指标的时候，要考虑 KSF 考核指标的数据提供部门以及数据提取的难易程度。如果数据难以提取，KSF 实施起来可能会非常困难。

举例

某公司对员工采取月度绩效考核，员工每月的工资由两部分组成，分别是固定工资和绩效工资。绩效工资根据每月的绩效考核分数折算。

员工张三每月的工资基数为 10 000 元，其中，固定工资为 8 000 元，绩效工资为 2 000 元。某月，张三的绩效考核分数为 50 分。从绩效评价结果来看，其绩效水平严重不合格。

然而根据公司的绩效管理规则，张三该月的应发工资为：8 000+（2 000 ×50%）=9 000（元）。

张三当月的绩效水平已经严重不合格，可是张三当月的应发工资（9 000 元）与每月的工资基数（10 000 元）相比，却仅降低了 10%。

员工李四的工资基数和工资组成与张三相同。当月，李四的绩效考核分数为 150 分。从绩效评价结果来看，其绩效目标超额完成。

然而根据公司的绩效管理规则，李四该月的应发工资为：8 000+（2 000 ×150%）=11 000（元）。

李四当月的绩效水平已经是公司最高的，可是李四当月的应发工资（11 000 元）与每月的工资基数（10 000 元）相比，却仅提高了 10%。

举例

某公司采取 KSF。员工张三每月的工资基数为 10 000 元。

某月，员工张三的 KSF 得分情况如表 5-5 所示。

表 5-5　某公司某月员工张三的 KSF 得分情况

考核指标	K1	K2	K3	K4
	A	B	C	D
平衡点	100	100	100	100
月薪权重	40%	30%	20%	10%
金额 / 元	4 000	3 000	2 000	1 000
奖励制度	每增加 10 分	每增加 10 分	每增加 10 分	每增加 10 分
奖励尺度 / 元	400	300	200	100
少发制度	每减少 10 分	每减少 10 分	每减少 10 分	每减少 10 分
少发尺度 / 元	400	300	200	100
当月得分	50	50	50	50
当月应发工资 / 元	2 000	1 500	1 000	500

张三当月的绩效水平较低（各项皆为 50 分），在采用 KSF 时，这种较低的绩效水平非常直接地体现在了薪酬水平上。张三当月的应发工资（5 000 元）为月工资基数（10 000 元）的 50%。

员工李四与张三的岗位相同，考核方式相同，工资基数也相同。

某月，员工李四的KSF得分情况如表5-6所示。

表5-6 某公司某月员工李四的KSF得分情况

考核指标	K1	K2	K3	K4
	A	B	C	D
平衡点	100	100	100	100
月薪权重	40%	30%	20%	10%
金额 / 元	4 000	3 000	2 000	1 000
奖励制度	每增加10分	每增加10分	每增加10分	每增加10分
奖励尺度 / 元	400	300	200	100
少发制度	每减少10分	每减少10分	每减少10分	每减少10分
少发尺度 / 元	400	300	200	100
当月得分	150	150	150	150
当月应发工资 / 元	6 000	4 500	3 000	1 500

李四当月的绩效水平较高（各项皆为150分），因为采用了KSF，这种较高的绩效水平同样非常直接地体现在了薪酬水平上。李四当月的应发工资（15 000元）为月工资基数（10 000元）的150%。

5.3.5 营造平衡：BSC的应用方法

BSC是由美国哈佛商学院的教授罗伯特·S. 卡普兰（Robert S. Kaplan）和诺兰诺顿研究所（Nolan Norton Institute）所长、美国复兴全球战略集团创始人兼总裁戴维·P. 诺顿（David P. Norton）共同创建的。

BSC表明了源于战略的一系列因果关系，发展和强化了战略管理系统。利用BSC作为核心战略管理的衡量系统，可以完成对关键过程的有效控制和资源的优化配置。组织通过BSC可以有效处理组织内部、外部各种变量的相互关系，保证组织系统变革过程中的均衡性。

BSC作为一套完整的业绩评估系统，主要从4个层面来衡量组织的经营情况，体现了组织价值创造的全过程，如图5-7所示。

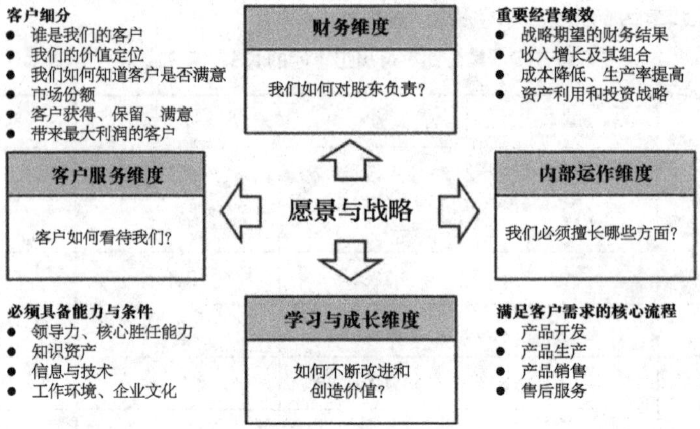

图 5-7　BSC 图示

1. 财务维度

这个维度是站在股东的视角，看待公司的成长、盈利能力和风险情况，是组织经营情况在财务结果上的直观表现。常见的指标有营业收入、资本回报率、利润、现金流、经营成本、资产负债率、项目盈利性等。

2. 客户服务维度

这个维度是从客户的视角，看待公司创造价值在外部市场体现出的差异化，是客户对组织感受的直接表现。常见的指标有市场份额、客户满意度、客户忠诚度、价格指数、客户复购率、客户获得率、客户利润率等。

3. 内部运作维度

这个维度是从经营管理的角度，看待内部流程为业务单元提供的价值主张，是产生结果之前的重要过程管控。常见的指标有新产品开发周期、产品质量、生产效率、生产成本控制、返工率、安全事故件数等。

4. 学习与成长维度

这个维度是从创新和学习的角度评价公司的运营状况，是关注公司未来是否有持续稳定发展能力的指标。这类指标通常与人力资源的情况有一定关联。常见的指标有员工满意度、员工离职率、员工生产率、人均培训时间、合理化建议数量、员工人均收益等。

公司应当从财务维度、客户服务维度、内部运作维度和学习与成长维度 4 个维度着手分解并设计 BSC 的相关指标。同样的，一套完整的 BSC 指标应当包括财务类指标、客户服务类指标、内部运作类指标、学习与成长类指标。

举例

某公司处在快速成长期，上市后，董事会设计出公司每年的利润目标，强调公司要围绕净利润目标开展生产和经营活动。为了不让公司的绩效管理有失偏颇，陷入盲目追求财务目标的情况，该公司选择运用 BSC，围绕公司的净利润目标，在 BSC 的 4

个维度上进行分解，如图 5-8 所示。

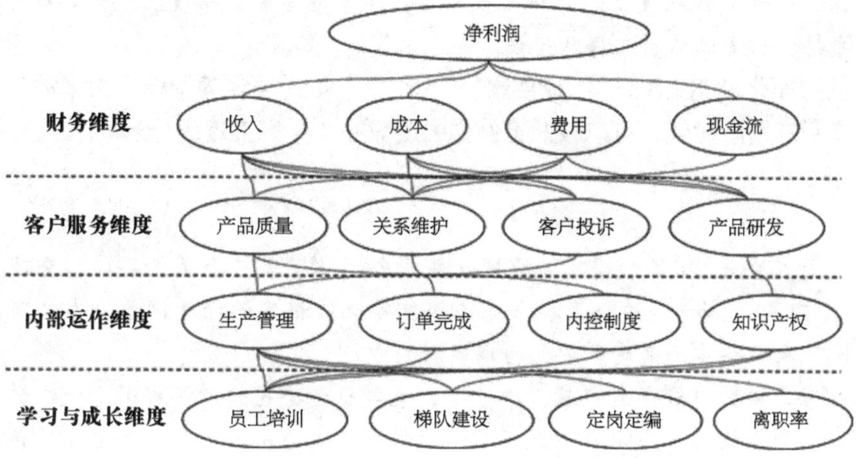

图 5-8　某公司 BSC 分解逻辑图

要完成净利润目标，该公司在财务维度上需要保证收入、成本、费用和现金流。这 4 项指标可以作为公司在财务维度的指标。

要保证财务维度的收入指标，在客户服务维度上，需要产品质量的支持，需要良好地维护客户关系，需要妥善地处理客户投诉，需要做好产品研发工作。

要保证财务维度上的成本指标，在客户服务维度上，需要注意客户关系的维护，需要注意客户投诉的处理，需要注意产品的研发。

要保证财务维度上的费用指标，在客户服务维度上，需要保证产品质量，需要做好客户关系维护，需要控制产品研发的成本。

要保证财务维度上的现金流指标，在客户服务维度上，需要做好客户关系维护。

要保证客户服务维度上的产品质量指标，在内部运作维度上，需要生产管理能力的支持，需要建立完善的内控制度。

要保证客户服务维度上的关系维护指标，在内部运作维度上，需要保证产品订单按期完成，实现产品服务保质保量交付。

要保证客户服务维度上的客户投诉指标，在内部运作维度上，需要有生产管理能力的支持。

要保证客户服务维度上的产品研发指标，在内部运作维度上，需要有相关的知识产权支持。

要保证内部运作维度上的生产管理指标，在学习与成长维度上，需要有足够的员工培训，需要做好员工梯队建设，需要做好定岗定编，需要控制员工的离职率。

要保证内部运作维度上的订单完成指标，在学习与成长维度上，需要有足够的员工培训支持。

要保证内部运作维度上的内控制度指标，在学习与成长维度上，需要有足够的员工培训支持。

要保证内部运作维度上的知识产权指标，在学习与成长维度上，需要有足够的员工培训支持，需要做好员工梯队建设。

上例为简化说明 BSC 的组成要素，对 BSC 中 4 个维度的指标都做了简化说明。读者在实际应用的时候，可以按照上例中的逻辑在 4 个维度逐级分解。

举例

某公司在全球 20 多个国家和地区开展业务，旗下有多个著名品牌，全球员工数量超过 10 万人。如今，该公司在全球已经拥有比较稳定的经营网络，在其所在行业内拥有比较高的品牌知名度和较大的市场影响力。

总经理是该公司最高的行政管理职位，主要负责公司日常的经营管理工作，负责达成公司的营业收入、成本及利润等财务目标；负责公司人才队伍和组织建设，负责公司的文化建设；保证整个公司管理的制度化和规范化，有效解决公司经营管理过程中的问题。

某公司总经理的 BSC 如表 5-7 所示。

表 5-7 某公司总经理的 BSC

指标类型	指标名称	指标定义	指标设置目的	数据提供部门	指标占比
财务指标	销售额	考核期内，公司的销售额达成某个目标。此处的销售额为实际回款额，而非订单额或预计订货额	销售额代表了公司的经营业绩、市场影响力、市场占有率、产品渗透率等，能够比较直接地表示总经理的工作成果	财务中心	20%
	利润额	考核期内，公司的利润额达成某个目标。此处的利润额指的是经营性损益的利润额	该公司非常重视利润成果。之所以采用经营性损益的利润额，是为了更直接地表示公司的盈利能力，更直接地表示公司的经营成果	财务中心	25%
客户服务指标	客户满意度	考核期内，客户满意度调查结果的平均值不低于去年同期水平	客户满意度体现了公司的服务人群对公司的认可，代表着公司产品与服务的质量。客户满意度的高低影响着公司的发展	第三方机构	10%
	公共关系满意度	考核期内，公司所有对外关系对公司的满意度保持在一定水平	公共关系满意度体现了公司外部人员对公司的认可程度，代表着公司的社会形象，代表着公司的口碑。好的公共关系不仅能够帮助公司提升业绩，还能够帮助公司创建雇主品牌	第三方机构	10%

续表

指标类型	指标名称	指标定义	指标设置目的	数据提供部门	指标占比
内部运作指标	成本控制	考核期内，公司的成本比率控制在一定范围	成本控制的情况影响着公司的盈利能力，有效控制成本能够显著提升公司的盈利能力，确保公司达成利润额的目标	财务中心	10%
	流程制度异常数量	考核期内，公司范围内的制度或者流程失效的次数。主要包括公司范围内出现的员工不执行流程制度，但却没有被提前发现或者采取相应措施的情况	公司的各项流程和制度构成了公司的内控体系，保证了公司内部运营发展的稳定性。如果公司能够通过自查发现问题，加强内控，有助于提高公司的管理水平，帮助公司更好地达成业绩目标	第三方机构	5%
学习与成长指标	员工敬业度	考核期内，员工的敬业度不低于去年同期水平	员工敬业度就是员工对自己的工作岗位，对自己的事业专心致志的程度。提升员工的敬业度，有助于增强员工对公司的归属感、对工作的积极性和对岗位的责任感，能够显著提升员工的绩效水平	人力资源中心	10%
	员工离职率	考核期内，员工的离职率不高于去年的同期水平。不需要一味追求降低员工离职率，适度的员工离职率能够促进人才队伍的发展。所以员工离职率应保持在一定范围内	适度的员工离职率能够有效降低公司的人力资源管理成本，能够促进经营管理的平稳。为了减少离职员工中高绩效员工的占比，有时候可以将高绩效员工的离职率作为辅助考核指标	人力资源中心	5%
学习与成长指标	员工能力达标率	考核期内，所有正式员工的能力达到岗位要求的最低标准	员工的能力是完成岗位绩效目标的重要保证。对员工能力达标率的要求有助于完善公司内部的人才培养机制，有助于落实师带徒机制。但能力水平与绩效水平并不存在必然的联系，有时候为了保证员工绩效达标，也可以把员工绩效达标率作为辅助考核指标	人力资源中心	5%

第6章 绩效管理体系和程序设计案例

绩效管理是否有效，不仅要看绩效管理工具是否适合，还要看实施绩效管理的各方是否能够有效履行自己在绩效管理中的职责。绩效管理不是一个部门的事，而是整个公司的事，需要各级管理者和员工都参与其中。如果高层管理者不重视，中层管理者不配合，基层管理者不执行，员工也不理解，那绩效管理将难以有效实施。

6.1 问题梳理：形同虚设的 OKR

F 公司是一家大型互联网公司，随着中国互联网行业的发展，F 公司的业务呈指数型增长。看到很多互联网公司采用 OKR 作为绩效管理工具，F 公司也学着选择 OKR 实施绩效管理。

然而实施一段时间后，总经理发现公司的绩效管理形同虚设，各部门只是机械地上报指标完成情况，于是不断责怪人力资源部。可人力资源部也很“冤枉”，明明已经很努力在推进工作了，结果却收效甚微。

为什么别的公司实施 OKR 效果不错，F 公司实施 OKR 却非常不顺畅呢?

6.1.1 问题背景：究竟谁该为此负责

F 公司向笔者团队提出咨询项目需求时，提到了 OKR 形式化，人力资源部推行绩效考核工作比较困难，人力资源部比较难评价员工的绩效成果等关键内容。

笔者注意到 F 公司有个问题比较突出——整个公司的绩效管理工作仿佛只有人力资源部一个部门在操作。人力资源部为了推行绩效管理东奔西走，其他业务部门的管理者似乎不想参与，也漠不关心。

F 公司的总经理和代表最高管理层的几位高管都很重视绩效管理，这也是 F 公司能够推行 OKR 的原因。人力资源部作为 F 公司绩效管理工作的主管部门，也为绩效管理的实施付出了很多努力。

可是各部门的管理者和员工认为绩效管理工作是公司强加在自己身上的，根本就不是自己的工作职责，而是人力资源部的事。对于绩效管理，业务部门的管理者普遍认为是在帮人力资源部做事。

有的部门管理者认为绩效管理浪费时间，影响了自己部门正常的业务开展。

有的部门管理者对下属评价之后，下属产生了意见，管理者不愿意面对下属的意见，所以想把绩效管理工作全部推给人力资源部。

有的部门管理者干脆没有任何理由地拒绝执行。

在这种情况下，F 公司的绩效管理工作成了走形式。

绩效管理工作做不好，是人力资源部的问题吗？绩效管理工作的推行出现问题，人力资源部该为此负责吗?

实际上，绩效管理应当是全公司的事，人力资源部门只是绩效管理的组织协调部门，各级管理者和员工才是绩效管理的主角。各级管理者既是其上级绩效管理的被考核者，也是其下属绩效管理的考核者。但业务部门不配合这种情况在实务中确实是非常普遍的。

面对 F 公司部门管理者当前的观念和行为，F 公司可以在 3 个维度上做文章。

1. 高层参与

F 公司必须保障高层管理者的深度参与。注意，这里是“深度参与”，而不是“参与”。高层管理者不能在绩效管理的问题上做甩手掌柜，要摆正自己在绩效管理工作中的位置，承担应负的责任，这样才可能保证公司各层级管理者和员工的充分参与。

2. 教育培训

可以联合绩效管理小组，在全公司范围内不间断地进行绩效管理思想、意识、方法和工具上的教育和培训，让公司上下都能真正认识并意识到绩效管理工作的重要作用，并能够正确开展绩效管理。开展教育的时候，可以用某个典型的，做得比较好的或做得不好的部门作为样本。

3. 文化入手

可以从公司文化入手，强化公司的执行力，强调全公司上下重视绩效的文化。要把绩效思想落实到公司文化，可以做的事情是比较多的。这需要公司所有的管理者，以及具有一定影响力的员工时时都在讲绩效。用公司文化影响员工是一项长远的工程，公司文化的推行，同样需要高层管理者的支持和配合。

6.1.2　问题模型：正视绩效管理的作用

F 公司绩效管理的问题来自管理者对绩效管理的效果抱有不切实际的幻想，高层管理者认为绩效管理可以一劳永逸。

高层管理者对 OKR 和绩效管理的认识是，原来公司员工的工作积极性不高主要是因为没有 OKR，没有实施绩效管理，现在公司有了 OKR，有了绩效管理，大家头上有了指标，有了目标，员工们就可以自发地行动起来了，管理者们就“省事”了。

仿佛 OKR 或绩效管理是一台可以自动运转的机器，不需要人来干预。其实，绩效管理能取得多大的成效，和公司的管理水平有很大关系，而公司的管理水平不是在短期内就能快速提高的。

公司靠推行绩效管理不可能解决所有问题，管理者也不必对绩效管理抱有过高期望。没有一蹴而就的绩效管理，没有一劳永逸的绩效管理。

绩效管理有一定的激励性，但不等同于激励。有的管理者会把绩效管理和激励混为一谈，认为只要做了绩效管理，就等于组织有了激励机制，员工的工作积极性和主动性就必然提高。

其实不是这样的，绩效管理本身确实具备激励效果，但相对而言，组织中的激励机制牵涉的内容和范围更加广泛。

一个公司中的激励机制可以包括精神激励、薪酬激励、荣誉激励、股权激励、积分激励等各种不同的形式。一套完整、健全的激励机制也是由很多因素组成的。

公司的绩效管理和激励机制之间是互相作用、互相补充、互相促进、共同发展的关系，目的都是组织最终目标的实现。

实施绩效管理，不是为了给管理者“省事”，不是定好了指标和目标以后就可以不管了。实际上，绩效管理并不能代替或免除管理者日常的沟通与管理。相反，管理者在实施绩效管理的过程中能不能和员工保持有效的沟通和信息传递，是绩效管理能不能有效实施的关键。所以有的人说，绩效管理，其实是考核人与被考核人协商一致，并在过程中持续双向沟通的动态管理过程。

沟通，连接起考核人与被考核人之间的思想和情感，尽可能避免了产生误会和猜疑的可能性，贯穿绩效管理的全过程，能够及时消除绩效管理实施过程中的阻力，保证考核能够相对客观、合理、和谐地运行，提高被考核人的积极性。

实际上，实施绩效管理后，管理者在管理方面的工作量普遍会有所增加。其实这种工作量上的增加并不一定是坏事，因为工作量增加的原因主要是管理者平时该沟通的事情没有沟通，该做的管理工作没做。

推行绩效管理前，要保证公司的核心管理团队了解绩效管理的作用，从公司实际情况出发，扎扎实实推进绩效管理工作。要明确管理者（尤其是最高管理者）在推进绩效管理工作过程中的责任和定位。

6.1.3 问题根源：程序是努力的方向

F 公司没有搞清楚自身问题的根源其实出在绩效管理程序上。

F 公司的绩效管理过分重视考核，过分重视员工达到的结果，而没有关注过程中的绩效辅导和绩效反馈，没有有效的监控手段。

个别管理者有这方面的意识，会对员工实施一定的绩效辅导和绩效反馈，但没有发挥相应的作用。员工没有从中获得成长，认为绩效考核就是在挑自己的毛病。

在绩效管理中，有 3 个关键词，分别是绩效管理工具、绩效管理程序、考核评价方法。很多人正是因为分不清楚这 3 个关键词之间的差异，总是把这 3 个词混为一谈，所以才会在认知上对绩效管理产生很多误解，在行动上做不好绩效管理。

绩效管理工具、绩效管理程序和考核评价方法之间有很强的关联性，但它们的概念完全不同。

在绩效管理的过程中，常见的绩效管理工具有 5 种，分别是目标管理法（MBO）、关键绩效指标法（KPI）、目标与关键成果法（OKR）、关键成功要素法（KSF）、平衡计分卡（BSC）等。

常见的绩效管理程序一般包括6步，分别是绩效指标分解、制定绩效计划、进行绩效辅导、进行绩效评价、绩效反馈和绩效结果应用。

常见的考核评价方法有7种，分别是关键事件法、行为锚定法、行为观察法、加权选择法、强制排序法、强制分布法、360度评估法等。

如何理解绩效管理工具、绩效管理程序、考核评价方法的不同呢？拿烹饪举例子。

假如张三肚子饿了，买了菜要自己做饭。这时，张三可以选择用电磁炉，也可以选择用燃气灶；可以选择用不粘锅，也可以选择用铁锅；可以选择用铁铲子炒菜，也可以选择用木头铲子炒菜。

张三选择什么样的工具做饭，与张三当时所处的具体情况、用餐习惯、一起用餐人员的接受程度以及成本、效率等多个因素有关。做饭用的工具确实会在一定程度上影响菜品的口味，但它不会影响炒菜的基本流程。

不论用什么做饭工具，做饭都要经历洗菜、切菜、炒制、调味、装盘这一系列过程。不论用什么工具，都不会改变做饭的最终目的——吃饱和吃好。张三在做饭过程中用到的工具就像绩效管理需要用到的绩效管理工具；张三做饭的整个流程，就像绩效管理程序；做完饭之后，张三对菜品口味做饭的评价，就像考核评价。

绩效管理程序和绩效管理工具同等重要。如果非要说哪个更重要，绩效管理程序比绩效管理工具更重要。这就像做饭，是做饭的技术更重要，还是做饭的工具更重要呢？一般来说，二者同等重要，但如果硬要分哪个更重要，应该还是做饭的技术更重要。毕竟，技术是一种能力，而工具只是一种达成目标的生产资料。

绩效管理的全流程都非常重要，管理者不能只重视考核的环节，绩效计划、辅导、沟通都是绩效管理的精髓。管理者平常应该及时向员工反馈绩效结果，及时辅导员工解决绩效问题，必要时对绩效计划进行调整。人力资源部应注意强化对绩效管理程序的监察工作。

这里我们也可以通过3点来有针对性地解决这个问题。

1. 严格程序

一方面，公司要把要求的绩效管理程序严格流程化，并把需要输出的、必要的格式化表格作为证据留存。另一方面，人力资源部要把对绩效管理的监督和检查也流程化，也需要输出格式化的表格。通过固化的流程，先培养公司各级管理者的习惯，再逐渐引导。

2. 能力培养

要注意对各级管理者绩效辅导能力的培养。很多时候，各部门管理者未实施绩效沟通和辅导除了因为不习惯，也可能是因为不会做。因为不会做，所以不想做，也不愿做。这时可以通过教会更高层的管理者，让各级管理者逐渐掌握如何辅导员工。

3. 能力挂钩

把绩效结果的应用和员工的能力挂钩，也就是公司要运用绩效结果的时候，除了绩效水平的高低，也要看员工能力水平的高低。如果员工能力水平比较低，那么即便其绩效水平高，公司在一些绩效结果兑现上也要慎重考虑。

这样也将发挥绩效管理的另一个作用，就是促进员工的能力成长。这样就能促进各部门的管理者对员工进行能力的培养和开发。这个时候人力资源部也要为员工能力发展和开发做好承接工作。

6.2 问题分析：搭建有效的绩效管理体系

经过前期的沟通交流，笔者团队发现 F 公司的主要问题是绩效管理体系建设和绩效管理程序实施存在问题。要让 F 公司的绩效管理回归正轨，首先要帮助 F 公司搭建好绩效管理体系。

6.2.1 确立方向：管理比考核更重要

很多人以为“绩效考核 = 绩效管理”，实际上，绩效考核和绩效管理是完全不同的概念。

绩效考核指的是公司在既定的战略目标下，运用特定的标准和指标，对员工的工作行为及取得的工作业绩进行评估，并运用评估的结果对员工将来的工作行为和工作业绩产生正面引导的过程和方法。绩效考核是绩效管理过程中的一环。

绩效考核也可以叫绩效评价、绩效评估或绩效考评，是公司将组织或个人对公司发展和战略目标实现的贡献情况转化成一整套标准的、可实施的、可执行的绩效水平衡量体系，并在一段时期内，对组织目标的达成情况、对个人工作成绩和工作能力做出判断。绩效考核的重点是人才评价。

绩效管理，是指管理者和员工为了达到某项目标，共同参与的绩效目标选择、绩效计划制定、绩效辅导沟通、绩效评价、绩效结果应用、绩效目标提升的持续循环管理过程。绩效管理的最终目的是持续提升个人、部门和组织的绩效。

绩效管理能够促成组织、管理者与员工的“三赢”。在绩效管理的过程中，管理者和员工就目标及如何达成目标而达成共识，并通过讨论和辅导的方式，使员工成功地达到目标。管理者和员工的这种相互作用，与组织目标交互作用，最终促进组织目标的实现。

在绩效管理中，组织、管理者和员工三者之间的关系如图 6-1 所示。

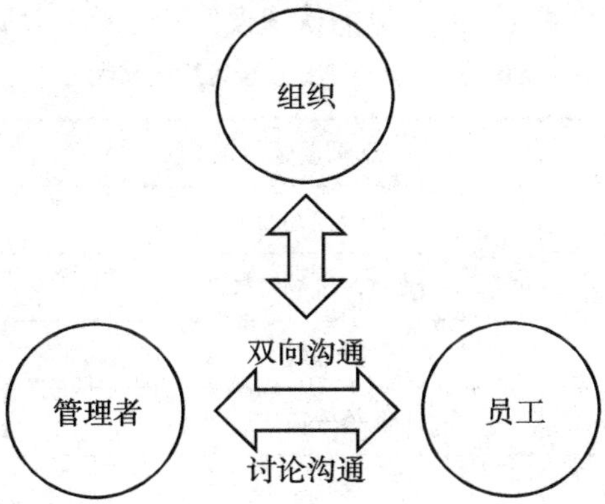

图 6-1 绩效管理中组织、管理者和员工之间的关系

绩效管理不是简单的任务管理或目标管理，它特别强调在整个管理过程中沟通、辅导及员工能力提高的重要性。绩效管理不仅强调结果，而且重视达到目标的过程。在这个过程中，管理者和员工能够走出误区，确立共同的关注点。

在绩效管理实务中，绩效管理工作常常因为参与者对绩效管理在认识上或操作上存在各种各样的误区，而难以开展。

例如有人认为绩效管理和绩效考核的含义相同，在实际操作中不伦不类地随意应用，结果造成绩效管理工作开展过程中出现各种问题。这类问题归根到底就来源于对绩效管理的错误认识。

绩效管理离不开绩效考核，绩效考核是绩效管理的一环，是绩效管理过程中的一种工具和手段。单纯看绩效考核，实质上反映的是过去的绩效，而绩效管理更强调未来绩效的提升。只有将绩效考核工作纳入绩效管理的体系和制度中，才能对绩效进行有效的监控和管理，从而实现绩效管理的目标。

绩效考核和绩效管理的思路和操作方式有着本质的不同，它们在定位、着眼点、提高绩效的手段、管理人员和员工的职责方面都是不同的，如表 6-1 所示。

表 6-1 绩效考核与绩效管理之间的差异

分类	绩效考核	绩效管理
定位	控制员工	员工主动承诺
着眼点	重点放在过去的业绩	重点放在如何改进将来的绩效
提高绩效的手段	主要通过“胡萝卜加大棒”政策	主要通过指导、鼓励员工自我学习和发展
管理人员的职责	判断、评估 控制工作的细节 解决问题	指引方向和目标 指导、帮助、沟通和反馈 在允许的范围内积极授权
员工的职责	被动的 / 反作用的，防卫性的行为	在学习和发展过程中表现的积极主动的行为

除此之外，管理者对绩效管理常见的认识误区和正确的认识总结如表 6-2 所示。

表 6-2　绩效管理认识误区及正确认识

分类	认识误区	正确认识
对工作成果	是一种判断	是一种计划
绩效管理重心	绩效评价的结果	绩效管理的过程
绩效管理目的	寻找错误	解决问题
公司与被考核人得失	此得—彼失	全胜—全输
关注重点	结果	行为和结果
绩效工作属性	人力资源的工作	全公司各部门的管理程序
对被考核人	是一种威胁	是一种成果或推动力

6.2.2 设立机构：绩效管理组织机构

F 公司绩效管理体系的逻辑如图 6-2 所示。

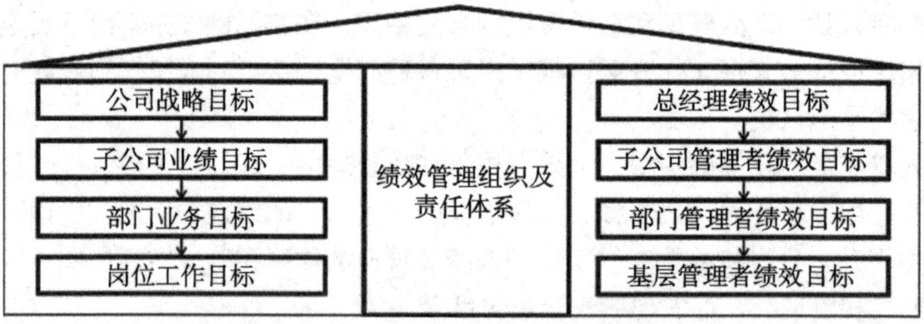

图 6-2　F 公司绩效管理体系的逻辑

F 公司可以依靠绩效管理组织与责任体系，将公司的战略目标，分解到各子公司的业绩目标，再进一步分解到部门业务目标和岗位工作目标。这些目标分别对应着集团公司总经理的绩效目标、子公司管理者的绩效目标、各部门管理者的绩效目标以及基层管理者的绩效目标。

要搭建绩效管理体系，需要组织机构的支持。

许多公司绩效管理难以推行的原因是总经理把绩效管理的工作全部扔给了人力资源部。绩效管理不是人力资源部一个部门的事，要想有效实施绩效管理，需要组织内各部门有机结合、划清职责、相互沟通、共同努力。

微观的绩效管理过程是考核人和被考核人之间形成的，针对被考核人绩效而进行的一系列沟通和管理过程。宏观的绩效管理过程是由公司董事会发起，体现在公司各层级管理者日常工作中的管理过程。

续表

实施绩效管理的机构包括绩效管理委员会、绩效管理小组、人力资源部、数据提供部门。实施绩效管理的关键岗位包括公司的总经理、人力资源部门的分管副总经理、人力资源部的绩效管理实施人员，当然还包括微观绩效管理中的考核人（通常是各部门管理者）和被考核人（通常是公司全体人员）。

实施绩效管理的各方之间的关系如图 6-3 所示。

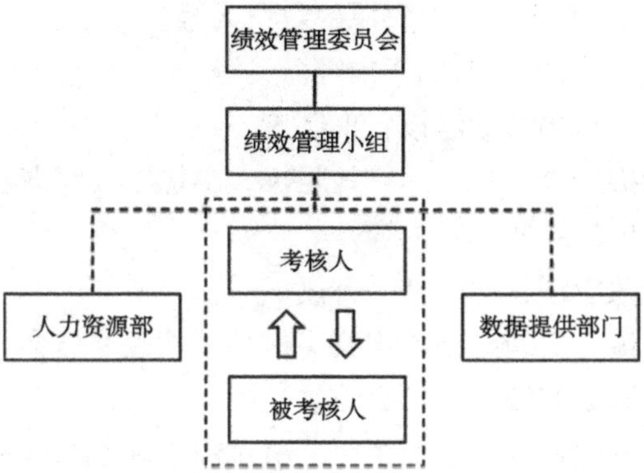

图 6-3 绩效管理机构

6.2.3 定位分工：绩效体系职责划分

对于在实施绩效管理过程中必备的机构、岗位，为更好地实施绩效管理，它们有着不同的定位、职责和分工，具体内容如下。

1. 绩效管理委员会

绩效管理委员会是组织绩效管理的顶层设计机构，负责从总体上把握绩效管理的方向、尺度、深度和温度（职工感受），同时监控绩效管理的实施过程，落实绩效结果的应用。它一般由组织最高领导层中的核心成员组成，如董事长、董事会核心成员、大股东代表等。

绩效管理委员会的职责通常包括如下内容。

（1）公司绩效管理制度的审核、评估和执行，确保绩效管理的客观、合理、和谐。

（2）对公司目标的制定提出建议，并持续跟进目标的完成情况。

（3）听取各方意见，不断改善绩效管理的过程。

（4）运行绩效管理委员会的会议制度，并定期召开例会或紧急会议，并将会议结果公示。

（5）绩效考核申诉的最终裁定。

（6）监督绩效结果的执行、应用，以及改进方案的推进执行。

（7）对绩效持续无改进者做出必要的人事变动。

（8）设计并实施绩效结果的奖惩方案。

（9）持续改进组织的绩效管理系统，保证组织对绩效管理的持续接受，做到程序公平、人际公平、结果公平。

2. 绩效管理小组

绩效管理小组是绩效管理工作的具体实施机构，负责实施过程中实操层面的组织、推进、引导和审核。它一般由公司的核心管理团队担任，如总经理、副总经理、各部门总监、财务中心负责人、人力资源部负责人等。

绩效管理小组的职责通常包括如下内容。

（1）修订、审核组织的绩效考核管理制度。

（2）组织并协助拟定公司的总体绩效目标，参加绩效管理会议。

（3）审议高管年度的绩效合同内容。

（4）督导公司绩效管理具体工作的开展。

（5）接受绩效申诉，权衡结果给出意见报绩效管理委员会。

（6）定期组织召开公司绩效评价会议。

（7）审核公司各部门及分子公司执行考核过程，并汇总分析考核结果。

（8）组织与启动公司绩效面谈工作。

（9）组织公司内部的绩效管理培训。

（10）必要时召开临时会议。

3. 总经理

总经理在绩效管理工作中地位最为重要和特殊，他既是考核人又是被考核人。相对于董事会来说，他是被考核人；相对于公司各部门管理者来说，他是考核人。他通常是绩效管理小组的组长，而且应当是公司绩效管理推进工作的最高指挥官。

总经理的职责通常包括如下内容。

（1）审批公司副总经理及以下确定的绩效管理制度。

（2）传递公司对部门绩效的要求和期望。

（3）在充分沟通的基础上，与所管理部门的负责人，制定并签署绩效合约。

（4）对所管理部门副总经理以下人员的绩效申诉进行裁决。

（5）主持召开绩效管理小组会议（包括定期例会和业绩评价会议）。

（6）组织有关绩效管理政策、制度和办法的讨论。

（7）审批公司副总经理（含）以下人员的奖金分配办法。

（8）作为组长，代表绩效管理小组，签发相关文件。

（9）作为组长，在绩效管理小组的讨论中最终裁决。

4. 分管绩效管理或人力资源管理的副总经理

这个角色负责绩效管理工作的整体推进、监控和实施，是绩效管理中一些重大事项的决策者。他通常会担任绩效管理小组的副组长。

分管副总经理的职责通常包括如下内容。

（1）审核公司的绩效管理制度。

（2）分解公司的绩效目标。

（3）审核各职能部门的绩效业务指标，并定期回顾和调整。

（4）审核把关副总经理以下人员的绩效申诉。

（5）审核公司副总经理（含）以下人员的奖金分配办法。

（6）作为副组长，协助组长组织、召开绩效管理小组会议。

（7）协调各部门和人力资源部推进组织的绩效管理工作。

（8）负责与各部门及分子公司沟通最终考核结果。

5. 各部门管理者

各部门管理者是绩效管理工作的具体执行者，这部分人员的素质以及他们对绩效管理的认识决定了绩效管理工作能否真正落地。

各部门管理者的职责通常包括如下内容。

（1）负责对本部门下属实施绩效管理工作，包括设定绩效目标、过程中的检查和辅导、收集考核数据、沟通和反馈考核结果。

（2）与直接下属制定并签署绩效合约，并进行持续的绩效沟通。

（3）评估直接下属的绩效，协调和解决其在评估中出现的问题。

（4）向人力资源部提供考核结果以及对绩效体系的意见。

（5）协调处理下属员工的绩效申诉。

（6）对下属进行绩效面谈。

（7）帮助下属制定绩效改进计划。

（8）根据绩效评估结果和人事政策做出职权范围内的人事建议或决策。

6. 人力资源部

人力资源部是绩效管理工作的实施机构，负责绩效考核的统筹和组织工作。

人力资源部的职责通常包括如下内容。

（1）拟定并完善组织的绩效管理相关制度，完善公司的绩效管理体系。

（2）组织并指导各部门设立绩效考核的指标、目标和标准。

（3）提供绩效管理培训，明确绩效管理流程，设计并提供绩效管理相关工具。

（4）建立绩效管理档案。

（5）受理各部门的绩效申诉。

（6）收集、汇总、分析各方对绩效管理工作的反馈意见。

（7）组织并指导相关数据的收集工作，并收集、汇总、分析考核结果。

（8）根据评估结果和公司的人事政策，向决策者提供人事决策的依据和建议。

7. 数据提供部门

数据提供部门是考核数据的提供机构，指所有可能需要提供绩效管理相关数据的部门，可能包括财务中心、数据中心、信息中心等部门。

数据提供部门的职责通常包括如下内容。

（1）负责提供绩效目标设定需要的相关信息或数据，并做出必要的分析。

（2）负责提供绩效目标实际完成情况的相关数据。

8. 所有被考核人

被考核人是公司价值的创造者，也是公司绩效的具体落实者。

被考核人的职责通常包括如下内容。

（1）充分认识并理解组织的绩效管理体系。

（2）与直接上级沟通确定自己的绩效目标，并签署和执行绩效合约。

（3）以良好的心态与直接上级进行绩效沟通。

（4）既要肯定自己的优势，也要积极面对自身不足。

（5）努力提升自身能力，更好地完成本岗位工作，争取获得更好的绩效。

6.3 解决方案：实施有效的绩效管理程序

比较优秀的公司所采取的绩效管理程序大同小异，常见的绩效管理程序可以分成 6 步，分别是绩效指标分解、绩效计划制定、绩效辅导、绩效评价、绩效反馈和绩效结果应用，如图 6-4 所示。

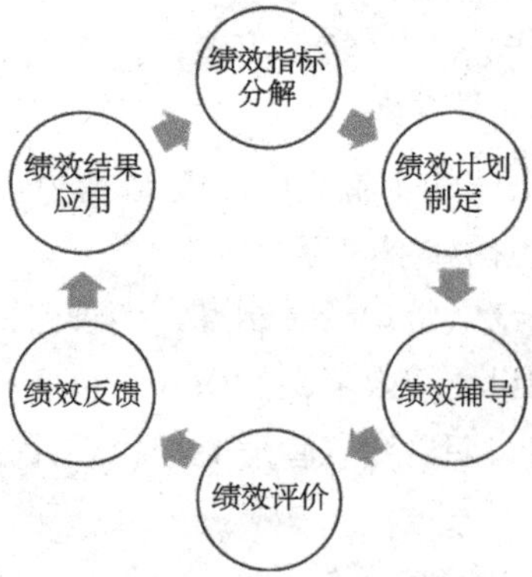

图 6-4　绩效管理程序

6.3.1 绩效指标分解：自上而下逐级拆分

绩效指标分解的方法有很多，战略地图法是其中一种。战略地图是一个描述公司战略的工具，是在公司战略的指引下，逐级定义公司目标，保证各层级目标之间保持因果关系和递进关系，保证公司以一种完整的、系统的、连贯的方式来审视战略。

战略地图的层级可以按照 BSC 的财务、客户服务、内部运作和学习与成长 4 个维度划分，也可以根据公司的行业特性和实际需要划分。但不论按照哪种方式来划分层级，公司战略中都应当包含财务、客户服务、内部运作和学习与成长 4 个维度的目标。

许多公司有了战略却不能成功执行，往往是因为不能全面清晰地描述战略，造成员工不了解战略或不了解战略与自身岗位之间存在什么样的关系。战略地图最大的好处是能够让员工了解公司的战略。

公司可持续发展的基础是无形资产，也就是核心竞争力，可是无形资产难以被管理，同时也不能直接帮助公司创造有形的成果。能够创造公司未来价值的核心竞争力必须和公司的战略保持一致，才能发挥作用和价值。

如果不能掌握这部分无形资产，将是对公司资产的极大浪费。开发和绘制战略地图的关键，就是找到把无形资产转化为有形成果的具体路径，搭建起能够把概念化的战略转化为具体的财务和客户价值指标的过程。

根据公司战略，可以按照如下步骤绘制公司的战略地图。

（1）确定公司战略的价值目标和客户价值主张。

（2）将公司价值按照某个逻辑分解成不同层级的目标。

（3）把最终想要达成的结果放在图形的顶端。

（4）把其他支持目标分别列在各自对应层级中。

（5）把达成结果其他目标的因果关系用线连接。

（6）描述最终目标与其他层级目标之间的关系。

举例

国内某大型连锁药店经过十几年的快速发展，已经成为全国排名前五的连锁药店品牌。该企业在发展过程中，运用了战略地图的概念，将企业的战略目标层层分解，分步落实，取得了较好的经营成果。

该企业某一年的战略地图如图 6-5 所示。

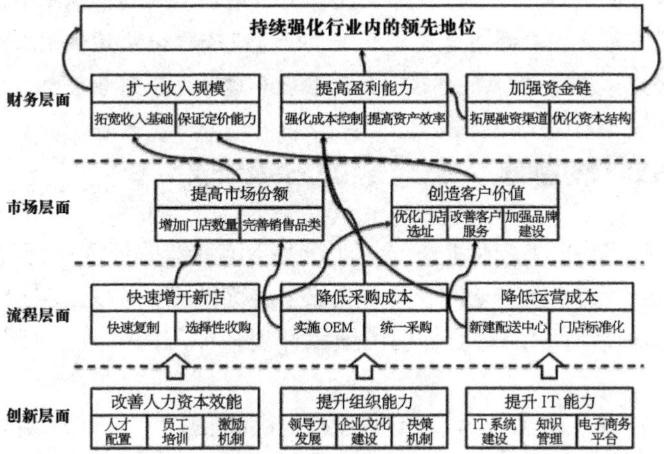

图 6-5　某企业战略地图

1. 财务层面

扩大收入规模是该企业最重要的要求。作为药品的连锁零售企业，该企业首先需要在销售量上做文章，同时必须保证一定的定价能力。

盈利是该企业第二位的需要。只有当盈利能力得到保证时，该企业才能在收入增长、资金保证两个方面达到均衡。提高盈利能力需要在成本控制、资产效率上做文章。

在资金链的问题上，该企业通过拓展融资渠道、优化资本结构两种方式来加强资金链。

2. 市场层面

为了实现财务层面上收入规模的扩大，该企业需要在市场层面做足两方面的功课。一方面，通过提高市场份额，来拓宽企业整体的收入基础；另一方面，通过创造客户价值，来保证在销售上的定价能力。

在提高市场份额方面，该企业通过增加门店数量和完善销售品类两个方面来实现；在创造客户价值方面，该企业通过优化门店选址、改善客户服务、加强品牌建设三个方面来实现。

3. 流程层面

为了实现市场层面增加门店数量和优化门店选址的要求，该企业必须在流程层面能够快速增开新店。在门店扩张中，该企业没有采取连锁加盟的形式，而是全部采用了自营的形式。该企业一方面实现自身的快速复制，另一方面有选择地进行收购。

财务层面要求的强化成本控制，在流程层面通过降低采购成本、降低运营成本两个方面来实现。在降低采购成本方面，该企业通过实施 OEM 和统一采购两方面实现；在降低运营成本方面，该企业通过新建配送中心和门店标准化两个方面实现。

4. 创新层面

为了对财务层面、市场层面和流程层面形成支持，在创新层面，该企业需要做好改善人力资本效能、提升组织能力、提升 IT 能力三个方面的工作。

在人力资本方面的努力反映在人才配置、员工培训、激励机制三个方面；在提升组织能力方面的努力体现在领导力发展、企业文化建设和优化决策机制三个方面；在提升 IT 能力方面的努力体现在 IT 系统建设、知识管理和建立电子商务平台三个方面。

6.3.2 绩效计划制定：三大层面分级设置

绩效计划按照责任的主体划分，可以分为公司的绩效计划、部门的绩效计划和岗位的绩效计划三个层面。一般来说，这三个层面的绩效计划是自上而下逐级分解形成的。公司的绩效计划决定了部门的绩效计划，部门的绩效计划决定了岗位的绩效计划。

当部门内所有员工的岗位绩效计划完成时，部门的绩效计划也相应完成。当所有部门的绩效计划完成时，公司的绩效计划也相应完成。

绩效计划按照责任主体分类的示意图如图 6-6 所示。

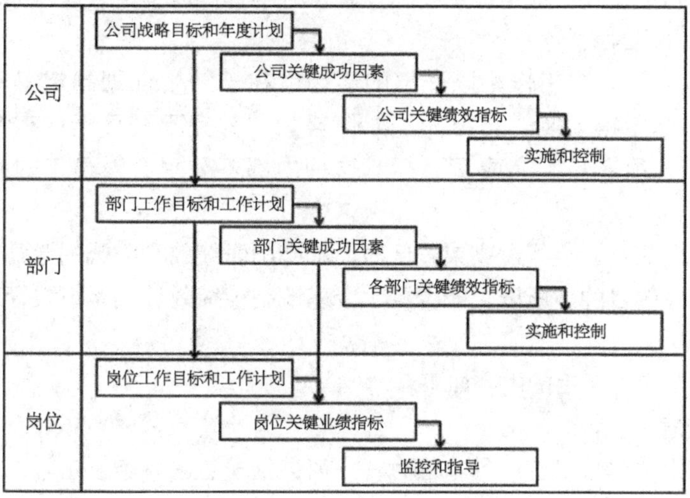

图 6-6　绩效计划分类示意图

绩效计划的制定过程，是公司层面把绩效目标层层往下分解，形成体系，最终落到个人层面的过程。从公司战略目标和年度计划开始，通过关键成功因素分析和关键绩效指标分解把目标分解到各部门和各岗位，还要考虑外部环境变化以及内部条件的制约，从而把岗位目标和公司整体发展战略联系起来。

公司层面的绩效计划对应着公司的战略目标。公司级的绩效计划中需要包含公司的关键成功因素。根据公司的关键成功因素，分解出关键的绩效指标，并在公司级计划执行过程中进行有效的实施和控制。

部门的绩效计划来源于公司的战略、年度计划和部门的工作目标。部门的绩效计划中应当包含部门的关键成功因素，以及各部门的关键绩效指标。在部门绩效计划执行的过程中，同样需要进行有效的实施和控制。

岗位的绩效计划来源于公司战略、公司计划、部门计划和岗位工作目标。岗位的绩效计划中包含了岗位的关键业绩指标。在实施岗位计划的过程中，管理者需要不断实施监控和指导。

在制定公司、部门和岗位绩效计划的过程中，公司通过协调各方面的资源，可以让资源向对公司目标实现起到制约作用的方面倾斜，通过促进部门和岗位绩效计划的实现，从而保证公司计划和目标的实现。

绩效计划也可以按照时间分类，可以分成年度绩效计划、季度绩效计划、月度绩效计划、周度绩效计划或每日绩效计划。按照时间周期分类的绩效计划是从较长时间的绩效计划分解到较短时间的绩效计划。例如，年度绩效计划分解为季度绩效计划，季度绩效计划分解为月度绩效计划。

绩效计划中应当包括什么呢？

简单地说，绩效计划至少要包括两个方面的内容，即做什么和如何做。在制定绩效计划之前，确定绩效目标是最重要的步骤，科学合理地制定绩效目标对绩效管理的成功实施具有重要的意义。

许多公司绩效考核工作难以开展的原因就在于绩效计划制定得不合理。有的员工把绩效目标定得太高，结果无论如何努力，都完不成目标；有的员工把绩效目标定得太低，很容易就完成了目标。这种内部不公平会对员工的积极性造成很大的影响。

另外，当绩效目标定得过高或过低时，都会削弱绩效和薪酬的激励效应，达不到激发员工积极性的目的。所以，能否科学合理地制定绩效计划是绩效管理能否取得成功的关键。

绩效计划中应当包括的内容如下。

1. 基本信息

绩效计划中要包含员工的基本信息，一般包括员工的姓名、工号、所在岗位的基本信息、薪酬结构、薪酬等级、绩效与薪酬的对接关系。

2. 评估内容

绩效计划中的评估内容包括员工的绩效指标以及目标。同时列出按绩效计划及评估内容划分的指标权重，体现工作的可衡量性及对公司整体绩效的影响程度。

3. 工作计划

工作计划包括员工为了完成绩效计划需要做的具体工作，或需要的协助、资源支持及工作上的帮助。

4. 评价标准

绩效计划中要写明对不同的绩效目标、指标和工作计划如何衡量。

5. 完成时间

完成时间包括每一项指标、每个目标、每项行动的完成时间。

6.3.3 绩效辅导：绩效管理真正精髓

绩效辅导指的是管理者就员工当前的绩效进展情况，与员工讨论其可能存在的潜在问题和障碍，并与员工一起制定方案、解决问题的过程，是上级（管理者）辅导下级（员工）共同达成目标或计划的重要方式。

绩效辅导是绩效管理的真正核心。毕竟实施绩效管理，奖罚不是目的，员工的成长才是目的。

在绩效辅导过程中，根据管理者为员工提供的支持类型不同、内容不同，可以把绩效辅导分成三类，一类是为员工提供知识和能力的支持，一类是帮助员工矫正行为的支持，还有一类是给予员工职权、人力、物力、财力等资源的支持。基于此，管理者在绩效辅导中的角色应当包含如下 3 点。

1. 工作教练

当员工出现目标上的偏差时，管理者应帮助其及时纠正。纠正的过程应当以启发为主、培训为辅，启发员工的思路，锻炼员工技能。管理者可以成为员工的职业导师，帮助员工判断方向是否无误、方法是否得当、方式是否合理。

2. 合作伙伴

如果员工能够很好地履行岗位职责，能够按计划和目标有条不紊地开展工作，那么管理者应当放权或放手让员工进行自我管理。在这个过程中，如果员工遇到难题，管理者应当与员工一起解决难题，为员工提供一定的帮助，鼓舞士气，和员工一起渡过难关。

3. 资源支持者

员工因为自身职责和权限的限制，在某些方面可能会有调度资源的困难，而有时候，这些资源又是完成工作必需的。这时，管理者应当帮助员工协调并获得开展工作所必需的资源，协助其完成工作任务。在这个过程中，管理者和员工之间应加强沟通，做好工作的衔接，解决工作中的纠纷。

基于管理者在绩效辅导过程中的三种角色，管理者要履行三大主要职责。

1. 帮助员工获得成功

管理者应为员工提供帮助其获得成功的辅导，确保员工尽可能有效处理遇到的各种绩效问题，以及可能存在的潜在问题和挑战。在这个过程中，员工应当充分信任管理者，充分挖掘自己的潜能。

2. 帮助员工提高能力

为了使员工的行为得到改善，管理者应为员工提供提高能力的辅导，使员工的行为符合公司的要求，帮助员工加强某一特定领域的能力，以便员工达到绩效要求。辅导员工提升能力时，管理者应以启发和传授为主、以技能辅导为辅。

3. 帮助员工再创佳绩

当员工业绩表现出色时，为了使员工能够继续提升、再创佳绩，管理者应当认可员工良好的业绩，鼓励员工保持良好的工作表现。管理者应表扬业绩出色的员工，认可员工的行为符合公司的要求。

员工在绩效辅导的过程中同样承担着一定的职责，毕竟员工是工作实施的主体，是绩效改善的主要实施人，员工在绩效辅导工作中的表现，同样是绩效辅导工作能否有效实施的关键。员工在绩效辅导工作中的主要职责是完成工作，实现绩效目标，主要包括如下内容。

（1）请求绩效结果情况的反馈和绩效的辅导。

（2）积极参与绩效辅导的审视沟通过程。

（3）与管理者讨论绩效目标达成计划的进展。

（4）建立自己工作中取得的成果和成就的记录。

（5）开诚布公地提出自己在工作中的困难。

（6）随外界情况的变化调整自己的绩效目标。

（7）随着绩效的实施不断完善个人发展计划。

一般来说，管理者实施绩效辅导沟通的步骤可以分为 6 步。

1. 发现问题

管理者要营造良好的沟通氛围，和员工说明实施绩效辅导的目的。倾听并让员工积极参与到绩效辅导工作中来；要了解员工的目标进展、工作情况、态度情况，有意识地观察并发现员工的问题。

2. 描述行为

管理者要描述员工的具体行为，而不是概括性地直接总结和推论，要解释这个行为对绩效目标可能产生的具体影响。管理者可以向员工表达自己的感受，但是必须说明这只是主观感受，还需要进一步征询员工的想法，让员工能够自我分析，表达心声。

3. 积极反馈

管理者要积极地、真诚地、具体地表扬员工的行为，必要时候，可以嘉奖员工好的行为。

4. 达成共识

管理者要与员工确认员工需要改善的工作内容、需要学习的知识和技能、需要的资源和支持，并最终与员工达成一致。

5. 鼓励结尾

在谈话的结尾，管理者要着眼于未来，给员工一定的鼓励、支持或帮助，并做好规划，让谈话以鼓励的话作结尾。

6. 形成记录

谈话最后，管理者要按照公司要求，形成书面记录，写清楚管理者与员工双方都认同的事情、具体的行动计划、改进的措施以及没有达成一致的事项。

没有沟通就不是绩效辅导，在绩效辅导中，管理者应就公司或本部门内发生的重要事件进行定期和不定期沟通，不断地辅导和持续改进，同时根据情况采用正式或非正式沟通方式。

在绩效辅导过程中，管理者和员工应遵循的原则如表 6-3 所示。

表 6-3　在绩效辅导中，管理者和员工应遵循的原则

管理者	员工
坦诚率直，维护员工的自尊	保持积极豁达的态度
客观地讨论具体行为和事实	有所准备并愿意表达意见
关注工作问题而不是个人问题	针对反馈意见提出问题，使其明确具体
提供方法和建议	明确将来的目标和行动计划

6.3.4　绩效评价：客观公正得到结果

绩效评价是公司根据绩效目标和绩效计划，对一段时间的绩效结果进行评价的过程。

绩效评价要综合收集到的所有与考核相关的信息，结合对关键事件的记录，公正、相对客观地评价员工的绩效结果。管理者应根据绩效评价结果诊断员工的绩效，并和员工一起制定下一阶段的绩效目标。

绩效评价方法可以分为客观绩效评价法和主观绩效评价法。

常见的客观绩效评价法包括关键事件法、行为锚定法、行为观察法、加权选择法等。常见的主观绩效评价法包括强制排序法、强制分布法、结构叙述法等。

公司在绩效评价过程中要注意奖惩的有效应用，正确制定公司的奖惩规则并正确运用奖惩，这样才能保证员工思想和行为导向不偏离公司大方向。

绩效评价不是简单地给出评价结果。绩效评价的指导思想是围绕业务进展、绩效提高展开，将绩效评价视为一个管理过程，而不是单纯地追求评价结果本身。

管理者进行绩效评价不仅要看员工的目标是否达成，更要学会有技巧地告诉员工差距所在。毕竟，员工能力的成长能带来更加长期的收益，而绩效评价结果只是短期的情况。

绩效评价如果搞不好，将直接影响整个绩效管理工作的进展和实施效果，影响员工对自身绩效的评价和改善，甚至将直接影响员工的金钱利益。许多公司绩效管理工作开展不下去，就是因为在绩效评价的环节出现问题。

绩效评价过程中的常见问题及改进措施如表 6-4 所示。

表 6-4　绩效评价常见问题及改进措施

常见问题	改进措施
绩效评价的标准不科学，可衡量性低或不贴近组织真正目标	明确工作本身的要求，明确考核标准，把评价标准建立在工作分析的基础之上
评价形式化，没人真正对绩效评价结果进行认真客观的分析，没有人真正利用绩效评估过程和评估结果来帮助员工在绩效、行为、能力、责任等多方面得到切实的提高	不断进行宣导教育，不断强化培训，组织的一把手带头进行绩效评价
晕轮效应：以偏概全，放大某一次或几次并不关乎绩效重点的失误而忽略绩效的真正要求	以工作目标达成情况为依据
近因效应：以近期印象代替全部，或仅做某一时期的短暂评估而忽略一贯表现的好与坏	做好绩效管理过程中的数据收集、记录，按照客观绩效结果进行评价
感情效应：管理者的非理性因素，造成评价时不自觉地受感情影响	以客观绩效指标为依据，以二次考核为监督手段

续表

常见问题	改进措施
集中趋势：绩效评价的结果都趋于中间（合格层），员工彼此拉不开差距。	结果以百分比进行衡量，或强制排名
暗示效应：绩效评价人受某几位领导或权威人士的影响	以客观绩效指标为依据，以二次考核为监督手段，并与相关领导沟通
倒推化倾向：先因某人平时的表现，为其定出一个考核层级，而后倒推出各考核项目的得分	以客观绩效指标为依据

绩效评价之后对应的奖罚实施，也常常出问题。很多人对奖惩有个朴素的观点：好的行为就应该奖，不好的行为就应该罚。于是很多公司按照这个思路，制定出公司的奖惩制度，可实际操作起来，发现效果并不如预期。有奖罚和没有奖罚效果无异，甚至有的公司在有了奖罚之后，员工抱怨甚至联合抵制。问题出在哪儿呢？

在制定奖惩规则前，先要搞清楚什么是职责、什么是贡献。职责就是岗位职责，指的是那些只要在该岗位任职就应该做的事，也可以理解为应尽的义务。贡献指在履行岗位职责的基础上，又做了不在岗位职责范围内的、对组织有利的事情。

有效的奖罚，需要奖励贡献，而不能奖励遵守职责；惩罚失职，而不能惩罚不做贡献。

1. 奖励了遵守职责

某公司上班迟到问题严重，公司领导出了个制度，如果员工每天上班不迟到，公司奖励 1 元钱；月底一天都不迟到的员工，奖励一个小纪念品。这个政策开始时是有效的，许多平时经常迟到的员工为了得到奖金和纪念品开始准时上班。

可公司经营出现问题，缩减开支，停发奖金和纪念品。情况一下变得更糟了，不仅那些原本爱迟到的员工继续迟到，那些原来习惯准时上班的员工也开始迟到。

因为这个制度把按时上班的义务和发放奖金联系起来了，本来再普通不过的按时上班变得有了“价值”。一旦停发奖金，人们会想：“我凭什么要按时来呢？”这与如果没有加班费，员工会质疑自己凭什么要在公司加班的道理一样。

所以，想要引导员工完成职责或义务范围内的事情，不能用奖励的方式，而应该在人们无法履行职责或义务的时候用惩罚的方式。

2. 惩罚了不做贡献

有个公司的员工食堂采取承包制，食堂的承包商发现员工吃完饭后乱扔餐盘的现象严重，工作人员收拾起来十分麻烦，于是找到办公室主任。办公室主任一开始对员工实施素质培训，期望通过提高员工素质改善这种情况，但发现没有效果。

后来，办公室主任下达规定：在食堂吃完饭不把餐盘放到指定位置者，罚款 10 元。规定刚发布的那几天效果还不错，可过了没多久食堂又回到了原来的状态。因为这个规定落实起来比较麻烦，需要办公室工作人员在吃饭时间现场监督。

靠人来监督一方面有可能抓不到不收餐盘者，另一方面即使抓到了，现场也常引发冲突。员工会认为办公室工作人员小题大做，故意找自己麻烦。

后来，食堂改变做法，如果员工能够把餐盘放到指定位置，可以领取一个水果作为奖励。其实，这本来就是近期办公室主任与食堂协商改善员工用餐标准的项目，就算没有乱扔餐盘的问题，也要在员工餐中加入水果。把水果变成文明用餐的一种奖励，此举一出，果然效果显著。

所以，对于不做贡献的行为，不能用惩罚的方式。如果想要鼓励人们做贡献，应该用奖励的方式。

6.3.5 绩效反馈：及时发现员工问题

绩效反馈是绩效管理的末端环节，是上级（管理者）向下级（员工）反馈绩效评价的结果，并且双方对绩效计划期间取得的成绩、存在的问题、下一阶段的工作目标、未来的绩效提升计划进行双向交流的过程，是管理者和员工间就当前绩效和未来更好地实现绩效目标进行的有效沟通。

公司通过绩效反馈，不仅能为员工指明努力的方向，还可以激发员工的上进心和工作积极性，从而提高组织的整体绩效。能否达到绩效管理的预期目的，往往取决于绩效反馈的实施。

管理者对员工实施绩效反馈的目的包括如下内容。

（1）让员工了解自己在一段绩效周期内的表现或业绩情况，评判自己的绩效表现是否合格。

（2）让管理者了解员工的想法，看看员工的真实想法和思想动态是否与公司或部门的理念或要求一致。

（3）促进管理者与员工之间的沟通，改善考核双方的工作关系。

（4）使管理者和员工对绩效结果及造成结果的原因达成一致，共同讨论绩效未合格部分的改进方案，以及合格部分进一步提升的计划，形成下一阶段的绩效目标和员工个人的绩效承诺。

（5）便于管理者激励员工。

举例

某公司销售部门的业务员小王本身负责公司某类产品的销售，同时还管理着3位经销商。该部门对小王实施季度考核，绩效指标是所负责产品以及所负责经销商的销售业绩、产品毛利以及销售费用。

对于这些数据，小王虽然平时也会简单地记账，但因为是零散的手工账，数据既不齐全，也很难保证准确。小王每月只能估算自己绩效指标的完成情况。

为了解决这种问题，该部门负责人每月初会要求财务部提供上月本部门所有业务员绩效指标相关数据的最终结果，并把这些结果分别反馈给本部门的业务员。

该部门负责人通过财务部对绩效结果的反馈，能够掌握本部门整体的绩效情况以及每名业务员的绩效状况，从而快速制定出有针对性的绩效改进计划。

对绩效较好的业务员，负责人可以实施鼓励和表扬。对绩效较差的业务员，负责人可以在实施绩效反馈后，根据具体情况对其进行绩效辅导。

小王得到绩效结果数据后，能够准确了解自己的绩效状况，查找和发现自己的业绩存在的问题和机会点，从而为自己制定下一步的行动计划提供客观的依据。

绩效反馈若要得到有效的实施，在实施过程中，应当遵循如下原则。

1. 树立沟通思想

在公司精神层面，应当统一绩效沟通的思想。公司的最高管理者要高度重视绩效反馈和绩效沟通的作用，带头实施绩效沟通。从公司文化层面，把重视绩效评价结果的结果型绩效管理体系转变为重视绩效反馈、绩效沟通、绩效辅导和改进方案的沟通型绩效管理体系。

2. 建立绩效反馈制度

在公司的制度层面，应当建立绩效反馈的相关制度。制度中应规定绩效反馈的标准流程、操作方法、监督检查机制以及实施绩效反馈的相关培训。

3. 创新绩效反馈模式

绩效反馈的方式多种多样，不限于书面报告、一对一面谈或会议形式。绩效反馈的内容也不限于告知员工绩效结果，可以和公司战略相结合，也可以和员工个人职业生涯发展相结合。

有的管理者不愿意做绩效反馈的主要原因是不知道如何处理员工的对抗情绪。在做绩效反馈时遇到员工对抗并不罕见。当管理者遇到员工对抗时，不要慌张，也不要用对抗来回应对抗。管理者首先要倾听员工的意见，判断员工说的是否是客观事实，是否有理有据。如果员工的说法成立，那管理者就找方法帮员工解决这些问题；如果认为员工说的没有道理，那管理者就需要管理这种对抗。

具体的对抗类型与应对策略如表 6-5 所示。

表 6-5　绩效反馈的对抗类型与应对策略

对抗类型	应对策略
转移型，常见的语言为： “我做这个的原因是……” “我是有苦衷的……”	倾听和考虑员工的观点： 如果原因是合理的，可以思考； 如果原因不合理，管理者要将关注点放回员工的行为上并保持反馈
找理由型，常见的语言为： “都是因为别人的 ×× 问题” “因为小张……，所以才……”	倾听和考虑员工的观点： 如果原因是合理的，可以思考； 如果原因不合理，管理者不要与员工谈论别的员工，将关注点放回员工自身的行为上并保持反馈

续表

对抗类型	应对策略
家庭状况型，常见语言为： “因为我家里最近……” “因为我亲人这段时间……”	管理者要倾听和理解，如果有需要可以提供援助； 如果需要可以从更上层管理者处得到建议； 对这些事件保持一定的关注； 保持参与和持续监控这种状况的演变
情绪反应型，常见表现为：愤怒、哭泣、沉默	在进行反馈前，管理者要预想到员工可能的最坏的情绪，提前做好心理准备。 如果员工表现出愤怒，要给员工一点时间，让员工平静下来，管理者不要与员工对抗，也不要使情况恶化。 如果员工表现出悲伤，管理者应使面谈的步调慢下来，让员工平复情绪。 如果员工保持沉默，管理者可以提一些开放式的问题使员工参与到对话中来

6.3.6　绩效结果应用：提升员工的积极性

绩效结果应用，是把绩效评价的最终结果应用到经营管理中的过程。绩效评价结果一定要得到有效的应用才能真正发挥绩效管理的作用，才能使组织和员工获得共同发展。如果绩效评价结果得不到有效运用，奖惩决策将无法做到公平、公正，奖惩措施对员工将不具有说服力，势必削减员工士气，打击员工积极性，降低员工的工作效率。

根据“目标—承诺—结果—应用”的原则，得出绩效评价结果之后，根据绩效管理制度和绩效结果，公司可以进行相应的应用。对优秀人才实施股权激励，就是绩效结果应用的一种方式。除了股权激励，绩效结果还可以应用在很多领域。

绩效结果的应用主要概括为两大层面。

1. 员工层面

从员工的物质层面来讲，绩效评价结果可以运用在工资发放、奖金分配、薪酬调整、股权激励、特殊津贴和员工福利等方面。

从员工的精神层面来讲，绩效评价结果可以运用在员工晋升、员工发展、员工荣誉等方面。

2. 组织层面

绩效评价结果能够帮助公司诊断自身存在的问题。公司可以根据当前绩效结果制定绩效改进计划，制定具有针对性的培训计划。绩效结果可以作为员工岗位调整和职级变动的重要依据，作为员工招募和甄选的重要依据。

对绩效评价结果的评估和分析能够帮助公司准确查找、快速发现和精确定位整个公司及各部门管理过程中存在的各类问题，以便公司根据绩效结果反映出来的弱项，制定绩效改进计划以及公司管理或制度改进计划。

在实际具体工作中，绩效评价结果主要应用在如下方面。

1. 提供上下级就下级的工作成果进行沟通的机会，有助于改进下级的工作成果

上级不仅应评判下级的工作成果，还应帮助下级改进工作成果。上级不仅要承担监督的责任，更要负责人才的培训与开发工作。上级将绩效评价结果及时反馈给下级，下级能够不断完善和提高自身的能力，以达到持续改进绩效的效果。实际上，这才是公司实施绩效管理的根本目的。

通过这种针对绩效目标达成情况展开的沟通反馈，上级和下级之间能够形成一种围绕绩效目标的伙伴关系，而不是单纯的管理与被管理的关系。上级可以向下级传递绩效需要改进的方面，并可以与下级共同探讨改进工作成果的方法。

员工在这个过程中，能够发现自身的短板，认识到待解决的问题，制定自身的发展计划。这种沟通反馈让员工的工作成果能够朝着公司希望的方向发展，从而增加员工符合公司期望行为出现的频率，减少公司不期望的行为，为员工达成更好的工作成果奠定基础。

2. 作为薪酬调整和奖金分配的重要依据

除了基本工资，公司通常应给员工设置一定比例的绩效工资。为了增强绩效评价的激励效果，公司可以将员工考核的结果分成不同等级。例如，可以分成优秀（A）、良好（B）、合格（C）、不合格（D）。

相同职等职级、相同岗位属性、不同贡献度的员工对应着不同的绩效工资。绩效评价结果中对团队贡献度的评价可以与月度、季度、年度的绩效奖金挂钩。薪酬的调整往往也会以绩效评价结果为重要依据。

3. 作为晋升、降职或调岗的重要依据

如果员工的绩效评价结果持续保持在较优水平，公司可以通过晋升让其承担更多责任；如果员工在某方面的绩效评价结果持续较差，公司通过分析绩效评价结果，可以发现员工的不适应程度，找出具体问题。

如果员工具备达成绩效目标需要的环境与资源，在通过指导与培训之后，员工的绩效目标达成情况依然没得到改善，那么通常代表着员工不能胜任当前岗位的工作。公司可以通过调整员工的岗位，让其从事更适合的工作。这也可以作为保持公司内成员竞争意识和危机意识的手段。

4. 作为人才选拔的重要依据

公司根据对外部招聘人员绩效评价结果的分析，能够检验、评估招聘选拔工作的成果。如果招聘选拔的人才绩效评价结果普遍能够达到预期，说明招聘选拔工作是有效的；反之，则说明招聘选拔工作有待改善。

同时，对绩效评价结果的深层次分析，有助于公司确认采用什么样的评价标准作为招聘选拔员工的依据更有效，从而达到提高招聘质量、降低招聘成本的目的。

例如对于某岗位，某公司原本在招聘选拔人才的过程中，对岗位数据分析能力的考察过分重视。后来发现，在招聘选拔环节数据分析能力表现较优的人才，实际上岗后绩效评价结果并不佳。但在招聘选拔环节沟通协调能力表现较优的人才，实际上岗后绩效评价结果相对较优。在这种情况下，该公司未来招聘该岗位人才时，在选拔的环节应当更重视沟通协调能力。

5. 作为发掘培训需求和人才培育的依据

通过分析公司整体的绩效评价结果，公司能够聚焦大部分员工在某些方面的知识和技能存在的不足，从而确定公司的培训需求，帮助培训部门有的放矢地做好公司下一步的培训计划，帮助公司整体提升人才素质。对绩效评价结果的分析，能够帮助公司有效地避免盲目培训，提高培训的有效性。

在培训计划执行的过程中，公司也可以通过对绩效评价结果的持续跟踪，随时评估培训的有效性。如果培训之后一段时期内，绩效评价结果明显提升，则说明培训是有效的；反之，说明培训没有达到预期效果，需要及时调整改进。

6. 作为员工个人职业发展计划的依据

员工个人的职业发展计划可以来自员工当前的绩效评价结果。由上级和下级协商制定下级长远的工作绩效和工作能力提高计划，能够将下级的个人发展与公司的发展连接在一起。

绩效评价结果反映了公司的价值取向，对评价结果的运用可以强化员工对公司价值取向的认同感和归属感，让员工的职业发展计划符合公司的价值取向。公司通过晋升和调岗的机制，能够让员工个人的职业发展计划更快实现。

及时的绩效评价结果反馈，有助于员工客观分析自己的职业发展方向，及时调整职业发展计划，提高员工的职业满意度。

7. 作为人才激活的工具

如果绩效评价结果较差的员工思想消极，长期下去，将无法为公司有效地创造价值。但如果这类员工能通过辅导或培训努力提升自身的能力和素质，不断提高自身的业绩，就能达到绩效计划的要求。

公司通过对绩效评价结果的有效应用，能够形成优胜劣汰的激励机制，不断提高员工的整体素质。

8. 作为人力资源法律诉讼的重要依据

绩效评价结果可以作为员工股权激励、降职、调岗甚至被解雇的重要依据，但在实际操作的过程中，难免会引发员工的不满情绪，即便上级在实施绩效管理的过程中尽力避免和安抚，也总有个别情绪失控的员工会诉诸法律。这时，公司方就需要提供相关的证据。

员工个人对绩效评价结果的承诺，以及与评价结果相关的数据、书面记录能够帮助公司解决这类劳动纠纷，维护公司的合法权益。

第7章 有激励效果的福利体系设计案例

福利是薪酬的一部分，是组织为员工实实在在的付出，会被计算在总和薪酬（所有可计算的财务薪酬之和）中。很多公司不重视福利体系的设计和应用，认为福利就是逢年过节给员工发钱，或者对某些岗位的特殊照顾，从而没有发挥出福利应有的效果。用好福利，能够有效激励员工，激发团队的活力。

7.1 问题梳理：缺乏激励性的福利体系

G 公司的人员年龄结构跨度较大，总经理是退休返聘人员，核心管理层也有不少退休返聘人员。公司整体的管理风格比较传统，采取的薪酬和绩效模式比较保守。

G 公司的员工群体中年轻人居多。年轻人之间可以聊的话题较多，但这些年轻人和管理层之间存在代沟，可以聊的话题较少。

G 公司的福利类型比较单一，福利结构比较简单，福利费用投入不小，但员工的感受却不深，福利没有起到应有的效果。

7.1.1 问题背景：福利没起到相应效果

G 公司向笔者团队提出咨询项目需求时，提到了员工上班积极性不高，如何有效激励年轻人，如何激活团队，如何最大化利用薪酬等关键内容。

G 公司的总经理说，他年轻的时候每天上班都觉得很充实，工作能够给自己带来很多乐趣。如今他看到很多年轻人上班得过且过，感到很不理解。他原来以为引入绩效考核之后，员工的活力就能体现出来，结果发现根本没有用。

笔者注意到 G 公司的员工福利费占工资总额的比例已经达到了 10%，于是与总经理聊起了员工福利的话题。总经理先是有所迟疑，后又表达出福利是一个不值得关注的维度。

笔者希望总经理详细说说公司的福利是怎么做的。总经理先是想不起来，后来想了一会儿说：“普通员工的福利主要是每年端午节、中秋节和春节会给员工发放福利费。具体的福利是端午节、中秋节有 600 元的福利费，春节会有 1 000 元的福利费。”

从福利费占工资总额的比例来看，G 公司的福利费显然不止这些，但从总经理对福利费的态度来看，他显然并没有重视这项费用的作用。

顺着总经理的话，笔者又问：“过节的福利费是随着当月的工资一起打到员工的工资卡里，还是公司取现金包成红包发给员工呢？”

总经理对这个问题的回答竟然是：“忘记了。”然后总经理找来了人力资源总监。人力资源总监竟然也无法确定过节的福利费是如何发放的。在问了薪酬管理专员后，才确定过节的福利费是随过节当月工资一起发到员工的工资卡中。

除此之外，笔者也从薪酬管理专员处了解到G公司福利的“部分面貌”。原来除了节日发放的福利费，部分类型的岗位还会有一些独有的福利，这些福利大多也是以金钱形式存在的，而且也是随着月工资一起发到工资卡里。

听到这里，笔者已经大致发现G公司员工工作积极性不高的原因。受最高管理层的影响，G公司的管理方式比较传统。这种传统的管理方式体现在福利体系建设方面，就是G公司的福利设计得“一本正经”。

当然，其实笔者后来了解到G公司还是有一些比较好的福利，例如提供给不同层级员工的定期体检，针对不同类型岗位发放的时令水果。

逢年过节给员工多发福利费是好事，因为员工在这段时期要走亲访友，免不了要购置礼品，有着大量的消费需求。可把福利费直接发到员工银行卡中的做法会让员工“没有感觉”，员工很快就会忘了公司因为过节给自己多发过一部分福利费。

想象这样一个场景。过年了，员工张三的银行卡里除了当月工资，还额外多了1 000元的福利费。发工资当天，张三很开心。之后的一个周末，张三去商场里购置了一大堆过年需要的物品，并用手机付了款。

张三把买的物品搬回家。这时，张三会想到这些物品中的哪一件是用公司给自己发放的1 000元年终福利费买的吗？

尤其是在网络购物和电子支付如此发达的时代，消费时越来越少用到现金，银行卡里的钱对于人们来说更多的就只是数字。

“一本正经”的福利本身没有问题。

问题在于，如果这种福利让员工“没有感觉”，那对公司来说，相当于在财务上支付了一笔不小的福利费用，但却没有带来好的结果。用白话来说就是，钱花了等于没花（没有效果）。

7.1.2 问题模型：没有站在员工的角度

这个世界上有这样一类人，这类人到了情人节的时候，不知道该给另一半买点什么，到了父亲节/母亲节的时候，不知道该给父母送点什么。当这类人需要设计公司的福利体系时，往往也很难找到思路。

为什么呢？

因为这类人不善于站在别人的立场上思考问题。也就是说，这类人不知道别人想要什么，不知道当自己给别人什么的时候，别人的感受会最强烈。

相反的，那些特别会给别人挑礼物，特别会在别人生日或是一些节日给别人惊喜的人，这类人来设计员工福利体系时，就比较得心应手。其主要原因是这类人会站在别人的角度去考虑问题。

会送别人礼物的人，也许送的礼物并不贵重，但却能够让接受礼物的一方感到非常开心。不会送礼物的人，可能为礼物花费了比较高的成本，却不会让接受礼物方的内心产生波澜。

周杰伦有一首叫《外婆》的歌，里面有句歌词是“外婆她的期待，慢慢变成无奈，大人们始终不明白，她要的是陪伴，而不是六百块，比你给的还简单”。处在不同状态下的人，有不同的需求，员工也是如此。

公司要设计有激励性的员工福利体系，首先要学会站在员工的立场去思考问题，要想员工需要什么，而不是自己想给员工提供什么。

有的员工期望公司能够提供良好的办公环境，有的员工期望公司能够提供良好的餐食服务，有的员工期望公司能提供各类休闲活动场所，有的员工期望公司能提供某种医疗服务，等等。

所以，好的员工福利应当是一套体系，是能够满足各类群体需求的一系列措施，而不是某种单一的、普遍的操作。

7.1.3 问题根源：福利究竟是做什么的

公司要真正发挥员工福利的作用，第一步落脚点不是“有没有”的问题，不是“多不多”的问题，也不是“好不好”的问题，而是“用不用心”的问题。

什么叫用不用心？就是有没有把福利用在某个关键点上。如果用对了，不用花很多钱也能发挥很好的效果；如果没有用对，花再多的钱也发挥不了效果。

要设计好员工福利，首先要回到福利的本质去思考问题。

员工福利到底是做什么的？

为什么要设置员工福利？

员工福利到底要用来解决什么问题呢？

员工福利是劳动报酬的间接组成部分，它是在工资和奖金收入之外，公司向员工本人或其家属提供的货币、某类实物、某个机会、某项服务或某种权利等各类形式的付出。

组织通过为员工提供各类福利，能够更好地吸纳和留住优秀人才，增强员工的归属感、获得感和满足感，提高员工队伍的稳定性，从而提升组织的绩效水平。

显然，一个组织为员工设置福利的目的是激励员工，而不是简单地给员工发钱或发物品。如果只是为了给员工多发钱，那每个月给员工多增加一些工资不就好了吗，为什么还要设置福利呢？

除了把员工福利和员工的工资混为一谈，G 公司还存在把员工福利和员工的岗位津贴混为一谈的情况。员工福利和岗位津贴有本质的不同，其不同点主要体现在 3 个方面。

1. 目的、作用不同

津贴是组织补偿员工在某种工作环境、工作条件下的身体、物质的消耗而额外增加的一种现金工资的补充形式，是组织为了减少员工的生活支出而提供的一种现金支持。

福利是组织对员工的一种照顾和激励，福利提供了除基本工资、岗位津贴、绩效奖金、提成之外的待遇，是一种对劳动者的间接回报。

2. 实施方式不同

岗位津贴和员工福利都有法律和法规规定的强制性部分，也有组织可以自主规定的个性化部分。

岗位津贴通常是以现金形式发放的，发放的规则具有一定的固定性，而且最终必然体现在财务成本中。例如每月将岗位津贴加总在工资中，随工资一起发放。

员工福利除了现金形式，还可以非现金的形式出现，具有一定的灵活性。员工福利不一定体现在财务成本中。例如组织为员工提供的弹性工作时间、弹性工作地点，并不直接体现在财务成本中，却可能会提高员工的工作效率。

3. 法律意义不同

津贴和福利在计算员工最低工资时的法律意义有所不同。根据一些国家法律或地方性法规的规定，有一些岗位津贴和员工福利不得计入最低工资标准中，除规定之外的岗位津贴可以计入最低工资标准，员工福利的金钱部分可以计入最低工资标准，非金钱的部分不得计入最低工资标准。

7.2　问题分析：发放有激励效果的福利

要想让福利有激励效果，让福利满足员工需求，首先要了解福利是如何让员工产生好的心理感受的，以及是如何发挥激励效果的。了解福利发挥效果的原理，有助于公司设计出有激励效果的福利。

7.2.1　三大特点：福利怎么发有激励效果

福利是薪酬的一部分。在薪酬中，有激励因素和保健因素之分，福利同样分为有激励效果的福利和有保健效果的福利。有保健效果的福利的存在价值主要是保障员工的基本生活需要，有激励效果的福利的存在价值则是激发员工的活力。

有激励效果的福利有哪些特点呢？通常有三大特点。

1. 难忘

有激励效果的福利往往能够跨越时间，通常能够给员工留下一段比较难忘的记忆。在一段时间后，员工还能够自发想起这段记忆。或者当某种条件触发时，员工仍然能够回忆起与这项福利相关的人或事。

2. 存在

有激励效果的福利往往不仅能够跨越时间，还能够占用空间。这类福利通常不仅能够存在于员工的记忆中，还能以某种实体形态持续存在，比较不容易消亡。例如某种使用年限较长的实物耐用品。

3. 话题

有激励效果的福利往往能够给员工创造一个话题，让员工有话题、有故事去和别人聊天。有话题就有可能产生传播。这类福利产生的话题或故事具有一定的传播性，能够让员工愿意自发去传播。

出国旅游算不算是有激励效果的福利呢？

当然算。

一般情况下，很多员工并没有经常出国的机会。在这种情况下，出国旅游就是一种强记忆点，能够给员工留下美好的记忆。如果这段记忆是公司提供的福利，员工自然会加深对公司的感情。

出国旅游的照片，员工一般不会乱放乱丢，员工可能会存在计算机里的某个文件夹里。当员工偶然打开看这些照片的时候，又会想起当初的点点滴滴，回忆起当初的美好。

旅游经历本身也是员工们茶余饭后愿意聊的话题。很多人出国旅游的状态是上车睡觉、下车拍照，拍完照之后在社交软件上发出来，还会关注后来有多少人给自己的照片点了赞。这又有了很高的传播性。

这里也许有读者有这样的疑问："有的员工喜欢旅游，有的员工不喜欢旅游。把出国旅游当福利，对那些不喜欢旅游的员工也有激励效果吗？"

公司的福利有通用福利，也有个性福利。通用福利通常是作为有保健效果的福利而存在的，个性福利通常是作为有激励效果的福利而存在的。

公司中确实有人喜欢旅游，有人不喜欢旅游，所以出国旅游可以作为一种个性福利。

7.2.2 调整做法：通过发放福利产生激励

关于 G 公司当前逢年过节把福利费随工资发到银行卡中的做法，如何调整呢？

笔者设计了一个可供员工选择的方法。例如可以逢年过节的时候，让员工从 5 种物品中选择一种。这 5 种物品最好都是耐用品，例如豆浆机、微波炉、破壁机、面包机、炒锅、茶具、床品 4 件套等。这样做可以给员工更深的感受。

1. 难忘

有选择就意味着员工可以选择对个体来说最需要或最有价值的选项。有选择同样意味着纠结，而这种纠结并不是坏事。因为纠结，员工想得就更多，想得越多，印象就越深刻，感受也越深刻，未来遗忘这件事的可能性就越小。

个体的选择同样意味着家庭的选择，这个纠结的选择过程，落到家庭的层面就会产生大量的话题和交流。员工很可能会找自己的父母、夫妻、子女商量到底哪一个物品是家里最需要的，哪一个对家庭来说最有价值。如果没有，甚至可能想到某位亲戚、朋友家里还缺什么，正好走亲访友用得上。

选择同样意味着遗憾，选择了这一个就意味着放弃了另一个。只要员工有两个或两个以上想选择的福利时，这种感受就会出现。都想要？不可以。只能选一个，放弃其他的吧。这会给员工一种强烈而持久的感受。

当然，这种放弃的感受并不意味着负面情绪，因为员工可以等下次再选另一个。而这正是这种福利机制想要达成的效果，未来的一年，员工都会有一个话题和盼头——不着急用的话，先别买，年终时就可以从公司领到这个东西了！

2. 存在

可选的物品都是耐用品，使用期限一般在5年以上，如果平时用得少，使用期限可能会更长。这类物品摆在自己家里，用的时候就会想到这是公司给自己发的福利。不用的时候，无意中瞥见了，也会想到这是当初自己进行了一些思考和沟通后选择的福利。

3. 话题

在经历过上述一系列的心路历程后，这件事可能会成为一个亲戚、朋友、同事之间茶余饭后能聊的话题。例如，自己选的福利物品很成功，家里正好用上了；或者有的人觉得自己没选好，当初选另一个福利物品就好了。即使有遗憾也没关系，以后还可以再选。

除此之外，这样设计还有两大好处。

1. 让员工感觉被尊重

通过这种选择的过程，员工会感受到公司是理解自己的，是给了自己选项的。员工在整个过程中是积极主动参与的，会感受到自己的决定的重要性。

2. 成本更低

商品团购通常会有更优惠的价格。当选择发物品而不是直接发福利费时，公司可以通过团购的方式降低成本。零售价为600元的耐用品，如果购买量大可以谈到500元甚至更低。

所以，这样设计不仅可以让福利产生激励效果，而且可以让员工感到被尊重，同时还能降低福利的财务成本。

7.2.3 弹性福利：菜单式的多样福利组合

要满足公司各类员工的需求，比较好的方式是引入弹性福利（Flexible Benefit）。

弹性福利又叫菜单式福利，它的基本思路是让员工对自己的福利进行有选择、有计划的组合。它的核心思想是倾听和满足员工的诉求，并以此来设计和发放员工福利。弹性福利的种类很多，常见的包括以下几类。

1. 补充保险

补充保险是公司可以为员工提供的社会保险之外的附加保险，用于解决员工在患了大病后，医疗支出较多时的后顾之忧，并且可以帮助员工找到更好的医疗资源，所面向的对象除了员工本人，也可以包括员工的父母、配偶或子女等。

2. 弹性节假日福利及活动

弹性节假日福利及活动包括节假日福利，例如端午节、中秋节、春节等节假日公司所发放的福利可以由员工选择；还可以包括公司举办的活动，例如体育赛事、亲子活动、相亲活动等，员工可以有选择性地参加。

3. 健康管理

对可能存在职业病风险的岗位或健康状况较差的员工，公司可以为员工提供诸如体检、健身、健康状况分析、疾病预防讲座、健康咨询和指导等福利，为员工提供有针对性的科学健康信息并在公司范围内创造条件或采取行动来改善员工的健康状况。

4. 绩效奖励

绩效奖励不一定要是奖金，员工可以自主选择。公司采用科学的方法，通过对员工个人或群体的行为表现、劳动态度和工作业绩，以及综合素质的全面检测考核、分析和评价，以更加灵活的福利形式表彰那些优秀的员工或群体。

5. 其他各类福利

除上述几大类常见福利外，还有许多种可放入福利“菜单”的福利。例如弹性的工作时间、养老服务计划、定制化的年金、法律规定外的带薪休假、冬季的取暖费、妇女卫生补贴、生日的福利、劳动安全卫生保护福利、外出培训学习的机会等。

弹性福利可以解决公司为员工提供福利，又无法获得员工认同的问题。这种方式能够在最大化激励效果、最大化外部效应的同时，最小化财务费用。要提高员工的满意度、忠诚度和敬业度，组织可以根据自身的情况，灵活地为员工提供更多可选择的福利形式。

7.2.4 人性化管理：如何应用弹性工作制

随着互联网的发展，很多公司开始接受员工不必每天朝九晚五式地到公司上班，而是允许员工可以根据自己的时间在家工作。有人为这种工作模式叫好，也有人为之担心。

有个网站曾经做过一项调查，票选员工心目中最向往的福利，结果显示弹性工作制排在第 1 位。弹性工作制这种福利机制如果运用得当，不仅对公司有利，对员工同样有利。

只要是员工福利，都需要在成本上有所付出。有的福利需要付出大量的财务成本，有的福利需要付出大量的时间成本，而弹性工作制，只需要付出一定的管理成本就可以实现，而且这种福利形式换来的员工满意度、员工忠诚度和员工敬业度是很高的。

尤其是对于在一、二线城市工作的上班族来说，很多人每天上下班通勤要花 2 到 3 个小时。这些时间虽然不属于员工上班的时间，但却是员工为了上班必须付出的。对于员工个体来说，这部分时间是自己不可以自由支配的时间，是和上班时间绑定在一起，必须付出的时间。而且，如果通勤时间过长，在一定程度上也会影响员工的工作热情。

在一次访谈节目中，某电商创始人曾表示："如果员工上下班不打卡，大部分公司不到 3 年就会倒闭。"他这么说，并不是否定弹性工作制这种模式。在中国很多公司中，弹性工作制的实际运行情况确实不尽如人意。

很多公司推行弹性工作制失败的主要原因有 3 点。

1. 很多岗位不具备实行弹性工作制的条件

能够实行弹性工作制的岗位大多是设计类岗位、编程类岗位、产品类岗位。除此之外，对于制造业、服务业来说，很多岗位短期内不具备弹性工作的条件。很多岗位受物理空间的限制，生产资料都在公司，不能实现人在家里上班。

2. 很多人其实不具备弹性工作的能力

不是所有人都适合弹性工作制这种模式。弹性工作首先需要个人比较自律；其次需要公司有比较完善的目标设置体系和较强的管理能力；最后需要公司有比较成熟的监督机制。

3. 很多公司需要一起工作的仪式感

对于需要相互协作的岗位来说，在一起工作有一种仪式感，很多公司需要这种仪式感。员工为了一个目标聚到一起，一起努力，为了完成一个目标而奋斗的场景，是很多公司期望看到的。这种仪式感，能够提升大家做事的激情和信心。如果没有这种场景，可能很多人原本 2 天就能完成的工作，需要 2 周才能完成。

通过对弹性工作制失败的主要原因的分析能够看出，公司要想实施弹性工作制，至少需要满足 3 个条件。

（1）岗位需要的生产资料不受物理空间限制。

（2）从事岗位的人才需要具备一定的个人素质。

（3）岗位工作相对独立，岗位之间协作可以突破物理空间限制。

很多人说弹性工作制是人性化管理制度的体现，然而有时候在人性面前，任何制度都可能是无效的。

例如有的公司规定"加班 2 小时，第 2 天可以迟到 1 个小时"或"加班的同事可以免费享用加班晚餐"。这项制度一出，就有可能会有员工在下班之后留在办公室玩2个小时游戏之后再打卡下班，目的是换第2天迟到1小时的“福利”或免费的晚餐。

实施弹性工作制是为了人性化管理，但不实施弹性工作制，不等于不能实施人性化管理。在不适合实行弹性工作制的公司，依然可以实施人性化管理。但很多的人性化管理方式，不适合变成公开的制度，这就是所谓“有情的管理，无情的制度”。

例如，当某个员工的小孩生病，员工需要提前下班照顾小孩，公司可以允许该员工提前下班，特例特办。某个员工某天确实加班到很晚才走，公司可以允许该员工第2天迟些时间上班，特例特办。特例特办，就是一种人性化管理方式。

不论是严格管理，还是人性化管理，都只是管理手段，最终总要为公司的效益和效率服务。

所谓的人性化管理，其实不过是用自律来代替他律，用员工的自我约束来代替公司的约束，而并不是盲目地给员工所谓的“自由”。

所有的自由，都必须在某一个框架之下；所有的自由，都是有条件的。这个条件，就是员工能够交出公司期望看到的、合格的绩效成果。

7.3 解决方案：设计整套福利体系

G公司的福利体系应从公司的角度做整体设计。设计G公司的福利体系时，要考虑法定福利和公司福利，要考虑公司的发展阶段和财务状况，可以考虑纳入积分制管理，要从体系上保证福利体系的完整性。

7.3.1 分门别类：福利如何划分门类

公司给员工的福利通常可以分成两大类：一大类是法定福利；另一大类是非法定福利，也叫作公司福利。公司福利又可以分成两类，一类是所有员工都可以享受的福利，另一类是部分员工可以享受的福利。另外，公司福利可以分成弹性福利和非弹性福利，或者叫可选福利和不可选福利。

福利的种类如表7-1所示。

表 7-1 福利的种类

法定福利		非法定福利（公司福利）			
国家性福利	地方性福利	全体员工享受		部分员工享受	
社会保险 / 住房公积金 其他法律法规规定福利		弹性福利	非弹性福利	弹性福利	非弹性福利

法定福利是相关法律法规明文规定的福利。这类福利是强制性的，它是所有政策覆盖范围内的公司要遵守并且执行的，比如社会保险、住房公积金、法定节假日、带薪年休假、关于各类假期的休假时间和工资支付等。

根据政策法规的覆盖范围不同，法定福利又可以分为国家性福利和地方性福利。国家性福利指的是全国范围内所有成员享受的福利；地区性福利，指的是以一定地区内的成员为对象的福利。一般来说，相同地区的不同公司之间的法定福利具有一定的一致性。

法定福利是公司必须遵守的福利，通常属于具有保健效果的福利。同地区的公司，法定福利是相同的。法定福利原本不具备吸引人才的特点，可如果有的公司遵守法定福利，有的公司不遵守，那么遵守法定福利的公司相比于不遵守的公司具备更强的人才吸引力，有助于人才保留。

公司福利是公司根据自身情况规定的福利，这类福利通常是具备激励效果的福利，可以用来作为公司吸引员工、留住员工和激励员工的方式。例如公司为员工购买商业补充保险、提供带薪培训学习的机会、加强员工休闲娱乐的设施建设等。不同公司由于经营状况、运营特点和管理方式等实际情况不同，福利的差别可能会比较大。

公司福利按照对象不同，可以分成全员享受的福利和部分员工享受的福利。

全员享受的福利是不分职位和岗位差别，公司全员都可以享受的福利。例如全员都有的班车、车费补助、租房补助、电话费补助等。

部分员工享受的福利是公司某类特殊群体才享受的福利，部分员工如绩效水平比较高的人员，能力比较强的人员，做出了某些有利于公司的行为、公司鼓励行为的员工，高管人员，技术团队，等等。

7.3.2 所处情境：不同公司福利设计

不同类型的公司设计福利的方法是不同的。

对于初创型公司，公司不需要追求过于系统化、全面化的福利。这个时期福利设计的主要目的是保障公司基本的用工需求，避免公司的人才流失。处在衰退期的公司，公司的财务状况决定了公司可能无法给员工提供太好的福利。

需要注意的是，初创型或衰退型的公司的福利可以简约，但不代表可以简单。公司虽然可以节省成本，但不代表可以凑合。越在这个时期，越能看出公司福利设计的用心程度。公司应当找准员工的需求，以最低的费用发挥出最好的福利效果。

公司的资金越有限，能够提供的福利越有限，越应该利用弹性福利和可选福利，越应该体现出多劳多得，越应当强调绩效体系设计。

在公司的成长期，公司的规模开始迅速扩张，公司的战略、经营目标和经营模式也会逐渐清晰。这个时候，公司全体员工需要为了实现统一的目标而共同努力。成长型的公司会引入大量的新员工，这些新员工一般比较关注公司的福利。所以这个时期实施福利管理的目的，不仅是保留人才，更是吸引人才。

福利是公司建立雇主品牌的一种方式。这个时期的福利除了体现绩效的不同，为了更好地吸引和留住人才，也可以适当采取一些普惠的政策。在这个时期，福利体系可以既体现绩效性，又体现普惠性；既强调弹性、可选的福利，又强调全员都可以享受的福利。

公司进入成熟期后，业务已经比较成熟，公司在市场上已经形成一定的规模和影响力。这个时期，公司的财务状况相对来说比较好，已经具备了给员工提供比较好的福利的可能性。这个时期实施福利管理的目的是进一步稳定人才、传播企业文化和打造雇主品牌。

进入成熟期的公司，员工福利可以涵盖办公环境、食宿、休闲活动、医疗等，除此之外，还可以包括弹性工作时间、允许带宠物上班等个性福利。

根据公司所处发展阶段的特点，公司应当有针对性地设计福利。不同类型公司对福利的不同设计方式如表 7-2 所示。

表 7-2　不同类型公司对福利的不同设计方式

公司	年人均不含法定福利的福利费（参考）	公司福利设计目的	可选的公司福利项目（参考）
初创型或衰退型公司	2 倍员工平均月收入以下	保障基本用人需求，规避人才流失	班车、基础培训、岗位轮换、购书、学习补助、师徒奖励、补充商业保险、节日礼品、生日礼品、灵活假期、员工体检、灵活工作时间和地点等
成长型公司	2~4 倍员工平均月收入	吸引人才 留住人才	除可选初创型公司福利项目外，可选技能培训、拓展训练、补充医疗保险、团队建设费用、防暑降温福利、取暖福利、带薪旅游、婚丧嫁娶病慰问金、员工奖学金等

续表

公司	年人均不含法定福利的福利费（参考）	公司福利设计目的	可选的公司福利项目（参考）
稳定型或盈利情况良好的公司	4 倍员工平均月收入以上	稳定人才 传播公司文化 打造雇主品牌	除可选初创型和成长型公司福利项目外，还可选在职教育、出国学习、考证奖励、补充养老保险、特别奖励、子女托管或教育、家属附带医疗、疗养、家属慰问金、咨询服务（理财、心理、健康、婚姻等）、员工茶点、文化娱乐活动、其他现金补贴等

表 7-2 所列福利仅供参考，公司应当根据需求和实际情况进行再设计，不能盲目照搬。

7.3.3 纳入积分制：用积分制设计福利

运用积分制为员工设计福利具有激励性比较强的特点。用积分制设计福利的原理，就是把员工领取福利的资格转变成分数，再让员工用分数来换自己想要的福利。这种虚拟的积分，只在公司内部生效，而且通常只在员工在职的时候有效。

公司在设计福利积分加减分机制的时候，可以采用一些游戏化的方式，这样会增加趣味性，可以把员工的工作态度、日常行为、能力水平和绩效水平和福利关联起来。

员工通过不断做出公司期望看到的行为来积累福利积分，到了一定的时间，可以根据自己的需要来兑换自己需要的福利。

在日常行为方面，公司可以规定：当员工加班的时候，除了获得加班费，还可以获得一定的福利积分；当员工迟到、早退或旷工的时候，会被扣减一定的福利积分；当员工负责的项目提前完成的时候，会有一定的积分奖励。总之，就是把员工的日常行为表现和员工的福利积分做关联。

在绩效管理方面，公司可以把员工月度的、季度的或年度的绩效结果与福利积分挂钩。例如当员工绩效结果是 A 的时候，可以得到一定的积分；当员工绩效结果是 C 的时候，可以得到相对较少的积分；当员工达到某个比较低的绩效水平时，不得福利积分。有的公司绩效评价用的是级别分类，有的公司用的是分数，具体可以根据公司实际情况来划分。

举例

某公司规定员工每年的绩效结果可以兑换成个人的福利积分，具体兑换规则如表 7-3 所示。

表 7-3　某公司员工年度绩效结果兑换个人福利积分规则

年度绩效结果	A	B	C	D
员工福利积分	100	80	50	0

员工个人福利积分可以兑换的福利如表 7-4 所示。

表 7-4　某公司员工个人福利积分可兑换的福利

福利类别	购物卡	补充商业保险	体检卡	出国旅游	……
员工福利积分	50	100	150	300	……

每个公司的资金、资源都是有限的，公司提供福利主要是为了奖励那些工作态度积极、工作能力比较强、工作绩效比较高的员工。因为这部分员工是公司的核心人才，所以不论是薪酬资源还是福利资源，都应该向这部分人倾斜，而不应该追求平均主义。

7.3.4　福利体系：全方位的福利覆盖

根据福利的分类和公司所处的阶段，G 公司的福利体系设计要争取做到全方位覆盖，尽可能满足各类员工的多样化需求。

1. 环境

G 公司准备改变办公环境的风格，采取多样化的风格，打造以开放、健康、自由为主题风格的办公环境。办公区内的交流区错落有致，风格迥异，既保证员工办公空间的通透性，又保证了私密性。员工可以根据自己的身高、喜好等个性需求选择自己的办公桌。员工甚至可以选择站着办公。

2. 食宿

G 公司不仅为员工提供精美的餐食，而且考虑员工的饮食习惯，荤素搭配，营养搭配，不仅让员工吃饱，而且让员工吃好。除了餐食，G 公司还设立了咖啡室，其中有各类免费的茶饮和咖啡，可供员工饮用。

3. 运动

为了支持员工进行户外运动，G 公司把厂区的一部分作为员工体育中心，其中设有足球场、篮球场、网球场、羽毛球场、乒乓球场等。为鼓励员工运动，丰富员工的文体活动，G 公司还会定期组织各种体育比赛。

4. 休闲

G 公司也为员工设置了各类休闲娱乐的场所，例如健身房、游戏室、阅览室、母婴室等。G 公司会请专业的健身教练来教员工正确的健身方法。除此之外，G 公司还会开设一些休闲类的课程。

5. 学习

为建立学习型组织，G 公司鼓励员工不断学习深造，鼓励员工在工作之余不断进修。对于有转岗需求的优秀员工，G 公司为其提供学习的机会；对于在管理岗位上表现优秀的员工，G 公司为其出资，让其带薪深造。

6. 医疗

G 公司为员工提供专业的医疗保健服务和健康服务，除了相关的体检项目，还关注员工日常的身体保养。例如为员工提供健康小贴士、专业医师问诊、定期的理疗服务等，同时为员工提供健康和养生的相关课程。

7. 家属

除了为员工提供医疗福利，G 公司每年还为员工的家属提供相应的服务。员工家属每年可以免费体检一次，同时可以免费参与医疗相关课程。除此之外，各大节日和员工生日，员工家属还可以获得专属礼包。

除以上福利之外，G 公司还设置了很多用心且个性化的员工福利，覆盖员工的衣、食、住、行、工等各个方面，让员工的福利既丰富，又有趣，还实用。